AF607561

Mujeres en el franquismo

Carmen Alcalde

MUJERES EN EL FRANQUISMO

Exiliadas, nacionalistas y opositoras

PRÓLOGO DE
M. VÁSQUEZ MONTALBÁN

edicionescarena

Primera edición: junio de 2013

© Ediciones Carena
c/ Alpens, 8
08014 Barcelona
Tel. 934 310 283
www.edicionescarena.org
carena@edicionescarena.org

Diseño cubierta: Daina Prat
Depósito legal: B. 14283-2013
ISBN: 978-84-15681-75-5

SUMARIO

PRÓLOGO DE M. VÁZQUEZ MONTALBÁN

Coinciden en Carmen Alcalde fidelidades y virtudes que la convierten en la natural autora de este libro: *mujeres en el franquismo*. Las fidelidades básicas son dos: la memoria histórica y la lucha ideológica contra cualquier forma de represión. Las virtudes, su buen hacer periodístico en investigador que ya ha dado frutos previos en la dirección del presente trabajo. De hecho *Mujeres en el franquismo* es un paso más allá en los estudios de Carmen sobre la condición femenina en España desde que hubo conciencia de la existencia de una *condición femenina* específica y agravada dentro de la condición humana. Los trabajos anteriores de Carmen Alcalde me fueron de obligada consulta cada vez que me acerqué a la cuestión femenina y muy especialmente redacté *Pasionaria y los siete enanitos*.

La mirada crítica de Carmen Alcalde es partidaria, pero no bajo criterios reduccionistas. Es partidaria de la igualdad y la solidaridad que nacen en la ambición de libertad para todos, pero en primer plano para las mujeres que han vivido una negativa división de papeles dentro de la división del trabajo. Al concentrar esta vez su mirada en el periodo franquista no lo hace inocentemente porque el franquismo fue la ultimación de un proceso irracionalista al que se vió abocada la sociedad española desde la Contrarreforma y que le impidió situarse en los niveles de cambio que se daban en otras realidades sociales más evolutivas. Franco dispuso del instrumento de una guerra civil para consagrar y reconsagrar el reaccionarismo español que las clases dominantes habían perpetuado como garantía de su propia hegemonía.

Alcalde inicia su estudio con una descripción de la victoria franquista que fue derrota de la razón democrática. Condicionó cuando no exilio, represión directa sobre aquellos luchadores republicanos que quedaron en España. Las mujeres padecieron una especial diáspora por el mundo y unas peculiares condiciones de represión en el interior. El estudio no sólo utiliza la materia prima de la derrota. También describe «el feminismo» franquista, aquella farsa integradora dirigida por Pilar Primo de Rivera, la hermana del fundador de la Falange, que trató inútilmente el proceso vindicativo del feminismo español. Aquella fuerza de contención ideológica que fue la Sección Femenina sólo aportó a la cultura española un excelente recetario de cocina y la organización de Coros y Danzas, cocina y folklore como claras referencias de una determinada concepción del rol de la mujer.

A partir de esta entrada, Alcalde se va a los orígenes más inmediatos de la cuestión: los planteamientos ideológicos dominantes en las izquierdas, desde la socialdemocracia encarnada por Victoria Kent, hasta el comunismo de Dolores Ibárruri, pasando por el anarquismo de Federica Montseny. Estas tres corrientes interpretaban el femenismo dentro del movimento emancipatorio que pasaba por la transformación de la sociedad: bastaba transformar la sociedad para que la mujer pudiera realizarse. Hoy podemos establecer una cierta crítica de aquellas percepciones, por cuanto la emancipación de la mujer pasa también por un cambio cultural fundamental en la relación entre los sexos. El trabajo de Carmen Alcalde insiste en la manipulación ideológica de la mujer bajo el franquísmo, primero a través del instrumento de la sección Femenina falangista y después mediante el Opus Dei, el integrismo maquillado de modernidad y adaptado a una visión del cristianismo bajo la hegemonía de los vendedores económicos, políticos, sociales y culturales.

Era lógico que el libro culminara con un análisis de la reconstrucción del feminismo bajo el franquismo, cómo impregnó las reivindicaciones de las formaciones políticas antifranquistas, pero también cómo generó un movimiento politico específico que tuvo en *Vindicación Feminista* su instrumento y en Lidia Falcón su principal figura política. Vinculada Carmen Alcalde a *Vindicación Feminista,* el libro combina la exposición y referencia documentada con el testimonio directo de lo vivido, lo histórico con incrustaciones autobiográficas que le otorgan el carácter de síntesis entre los historificado y lo vivencial. Cabe inscribir este trabajo dentro de la corriente, afortunadamente reactivada, aunque un tanto tardíamente, de reconstruir la memoria histórica de las culturas y las conductas emancipatorias, primero machacadas por el franquismo y luego guardadas en el desván durante la Transición, como fruto de un pacto implicito entre franquistas y antifranquistas para no tirarse la memoria histórica por la cabeza. Pacto que beneficiaba, sobre todo, al largo esfuerzo del franquismo por desidentificar la lógica interna de la España progresista, desde el complejo de culpa de cómo había perseguido y tratado de aniquilar muy particularmente la lucha de la mujer española por su emancipación.

Manuel Vázquez Montalbán

I

DERROTA Y DESBANDADA

Franco, aquejado de gripe, en la cama, redacta su último parte de guerra. En la radio, en los altavoces de las calles, se escucha su voz atiplada, eunucoide: «Cautivo y desarmado el Ejército rojo, han alcanzado las tropas nacionales sus últimos objetivos militares...» En el terror inmediato medio pueblo, el de los republicanos españoles, inicia la huida en desbandada. Los que aún pueden. Quienes no, quedarán, a partir de aquel 1 de abril de 1939, entre las rejas de las cárceles, torturados, vencidos, traicionados, asesinados. Y, los más afortunados, amordazados durante más de cuarenta años, escondidos en sus casas, entre las cuatro paredes de la no intervención; o seguirán en los calabozos, en las cárceles, por las carreteras de todo el país con los fusiles falangistas de los vencedores contra la nuca durante los fatídicos «paseos». Lo del Generalísimo será firmar durante el primer decenio de la Dictadura, y durante el segundo y el tercero y cuarto... Firmar sentencias de muerte mientras babea contemplando a Conchita Piquer en «Nobleza baturra» en su cine particular al lado de Carmen Polo. Mientras come. En la inauguración de un pantano. En los recesos del atún. Bajo palio y durante la comunión diaria. Firma sin titubeos millares de condenas de muerte. Y a pesar de su supuesto talante militar y «caballero», esto no va con él aunque el reo sea mujer. Más bien parece inclinarse, en este sórdido capítulo de nuestra historia, por la igualdad de sexos. En el sufrimiento, en la culpa, en la tortura y en la muerte, las mujeres siempre han obtenido el privilegio de ser como hombres.

Es la desbandada, y cómo no, «las mujeres primero». Son un estorbo, cargadas de hijos, para los últimos disparos de la guerra. Y, sin embargo, «¿quién va a ocuparse de los hombres si nos marchamos nosotras? ¿Quién les va a guisar y atender?» Estas palabras de Constancia de la Mora, en su autobiografía, sentencian con dramatismo y una maldita ingenuidad la esencia misma de lo que siempre había sido la mujer: una criada para el hombre. Algo que también marcará su vida en el interminable proceso del franquismo.

Y a muchas de las mujeres, que en los primeros momentos de la derrota salieron precipitadamente a la orden de «las mujeres primero», su culpabilidad genética, una vez pasada la frontera, y el ver que Catalunya todavía no había caído por completo en manos de los facciosos, las conmina a un penoso y estúpido regreso con el fin de reencontrarse con sus maridos, con sus compañeros que todavía están resistiendo: «Logramos convencer a nuestros maridos de que nos permitiesen quedarnos a su lado, mientras no constituyésemos un estorbo para su trabajo». ¡Estorbo! La falta de autoestima de la mujer en la guerra y en la paz aflora en cada frase. Y esto lo dice una mujer, Constancia de la Mora, cuya actuación durante la guerra fue más que útil, cuando ella y sus amigas deciden abandonar las largas esperas en el hogar atentas a la radio, a los altavoces y a las escuetas explicaciones telefónicas dadas por sus maridos, para dedicarse a unas tareas más necesarias e incluso trascendentales en aquellos tiempos de guerra: cuidar de centenares de niños huérfanos o separados de sus padres. Se agotaron en el esfuerzo, consiguieron evitar el hambre y las epidemias, fueron las artífices de los envíos de caravanas infantiles hacia la Unión Soviética.

En aquellos trágicos estertores, ya en el reducto de Figueres, una ciudad próxima a la frontera francesa, Modesto y Enrique Líster se ocupaban desde el alba hasta el otro amanecer de organizar la retirada definitiva. Como siempre, les fallaban las ayudas anunciadas por la URSS, y aquella masa humana permanecería aterrada, retenida en la frontera francesa. Las mujeres, agotadas, responsables de las criaturas propias y de otras que habían perdido a sus padres, se establecían en los portales o en las escaleras de las casas. Hacinadas, desconcertadas. Allí dormían y guisaban como mejor podían, esperando... sin saber demasiado lo qué esperaban. En el castillo de San Fernando, una fortaleza antigua del siglo XVII, convivía una muchedumbre esperando... Esperando con terror que, en el triunfalismo y en el orgasmo asesino de los vencedores, decidieran bombardear aquella ciudad donde se apilaban los últimos resistentes. Figueres ofrecía un objetivo perfecto para los rebeldes de Franco, una posible carnicería que ampliaría con creces el triunfo sanguinario del general «africano». Conforme se abría con cuentagotas la frontera las autoridades francesas, ante la sorpresa de aquel hormiguero humano de los defensores de la República, trataron a los refugiados españoles de mala manera y con grandes dosis de sadismo. No se hizo esperar el bombardeo anunciado de Figueres. La ciudad se convirtió en una alfombra de cadáveres y nunca se llegaría a conocer el inmenso número de las últimas víctimas de Franco en la guerra que acababa de terminar. Figueres tenía que ser evacuada con urgencia por los que habían conseguido sobrevivir a aquella tragedia irracional. Largas filas de hombres y mujeres, tristes y derrotados, llenaban las carreteras hasta la frontera. Los bombardeos no cesaban y los cadáveres se apilaban en las cunetas. Como en todas las guerras, la población civil sería la víctima más torturada e indefensa del sadismo fascista. Había que llegar a Le Perthus y a Perpignan a toda costa.

Resulta difícil que mi imaginación, al escribir este libro, pueda alcanzar un minímo de realidad. Me doy perfecta cuenta de ello a pesar de haber leído y escuchado de viva voz miles y miles de relatos. Nunca me ha parecido exagerada ni he visto ningún atisbo de senectud cuando los amigos y amigas supervivientes de aquel infierno han aprovechado nuestras entrevistas para su catarsis. Al contrario: tienen todavía el recuerdo tan a flor de piel que no se les escapa ni un detalle, ninguna angustia. A estas mujeres, a estos hombres, al hablar de su tragedia se les transforma el rostro y se les descarga un temblor de horror en todo el cuerpo. Piden mil disculpas por hablar de «batallitas» viejas, como suelen decir los jóvenes imbéciles cuando sus abuelos se ponen a recontar. Pero a mí, aparte de la curiosidad por conocer la historia oral del más negro capítulo de la historia de España, me invade una ternura infinita y una indignación sin límites. Por cuánto sufrieron, por tanto dolor y rabia que todavía les invade al recordar a los familiares, a los camaradas muertos. Por mi parte, siempre les seguiré concediendo el honor de su temblorosa palabra.

El consulado español en Perpignan estaba desbordado y resultaba incapaz de dar soluciones por falta de voluntad, por desprecio y por la imposibilidad de atender a tanta gente. Allí se agolpaban y resistían horas y horas los vencidos de España en busca de un pasaporte, de cualquier papel que les devolviera su identidad avasallada. Por otra parte, los famosos *Gardes Mobiles* se llevaban detenidos a cuantos españoles estaban aún sin papeles. Los campos de concentración franceses para los españoles empezaron a ser tan temidos como luego los de Hitler, los de la España de Franco y los de la Italia de Mussolini. Entre las arañas metálicas, los fusiles de los *Gardes Mobiles* vigilantes y siempre a punto de disparar y la crueldad de los soldados senegaleses que habían sido enviados especialmente para ocuparse de los «rojos» españoles, los hombres y mujeres allí hacinados, humillados y derrotados sólo vivían con una obsesión: la huida a cualquier parte.

Ya en la frontera, los Guardias Móviles les habían arrebatado cuanto de valor llevaban encima: pulseras, anillos de matrimonio; los relojes, las pistolas. Aquella muchedumbre que creía haber llegado por fin a una tierra prometida, a la salvación de sus vidas, se quedó atónita y desamparada ante el trato de los franceses que, en principio, debían haberles dado cobijo y todos los cuidados del mundo por haber sido los primeros en enfrentarse a muerte contra el fascismo que tenían ya en sus puertas. La impavidez, el desprecio y el ensañamiento contra ellos, de lo que se suponía un país democrático, fue una sorpresa y el principio de un largo rosario de indignidades. La segunda tragedia, para quienes llegaban a Francia huyendo de España, acababa de comenzar. Se trataba de un nuevo drama del éxodo político español y en aquel momento empezaría a vivirse la epopeya para quienes, olvidados ya los sufrimientos y agravios entre sí, querían seguir luchando unidos por un nuevo ideal común: liberar a los pueblos sobre los que ya se presentía la continuación de la lucha española: la salvajada histórica del nazismo iba a comenzar. Comunistas, socialistas, anarquistas todos y todas derrotados, continuarían desangrándose primero en los campos de concentración franceses y acto seguido en la guerra contra Hitler y los fascistas.

«Hicieron de nosotros un rebaño de parias, una inmensa legión de esclavos, sin ninguno de los derechos reconocidos por el Estatuto Internacional del Derecho al Asilo a los refugiados políticos», manifestaba Federica Montseny en su extraordinario relato sobre la *«Pasión y muerte de españoles en el exilio»*. «Desarraigados, sin hogar ni patria; cubiertos de harapos, de piojos y de sarna; ensangrentados y vencidos, con el cuerpo maltrecho y el alma transida... Cuando otros se suicidaban, declarándose vencidos, nosotros, cargados de cadenas, nos preparábamos para vencer... y con la misma esperanza, la misma energía iríamos a impedir el avance del fascismo en Europa.» Estas palabras de Federica dan una idea clara de la moral que, a pesar de la derrota que se negaban todavía a reconocer como definitiva, sostendrían los españoles hasta la mismísima invasión de Polonia. La misma obsesión que les había llevado a una guerra a muerte, el 18 de julio de 1936.

A la abnegación y al coraje de los luchadores hay que añadir la actuación de las mujeres de los hombres, doblemente sacrificadas porque, además de ser ellas mismas protagonistas con nombre propio, cumplieron con su doble y más ingrata tarea ancestral: cuidar de sus hombres..., según el mandato de la tradición.

A estas alturas de finales del siglo XX, transcurridos cincuenta años desde aquella guerra que dividió en dos al mundo, seguimos leyendo la historia de los historiadores, preocupados por descifrar aquellos inextricables momentos, y les vemos empecinados en destacar la oscuridad y el ninguneo de las mujeres que, en muchas ocasiones y a pesar de los hombres, fueron clave de esta historia. Pero estos hombres que escriben la historia son ególatras y por naturaleza desmemoriados y siguen adjudicando a su propio sexo el protagonismo de una época que, sin embargo, tuvo que contar con las mujeres, que depender de ellas para construir su historia. Pero, al paso de los años, apenas nadie escribe ni recuerda sus nombres. Nadie, ningún cronista, es capaz, por supuesto, de aludir a unas figuras que quedaron inscritas en los periódicos del tiempo. Las menos conocidas y las nada conocidas, sus nombres se los llevó el viento de una de las mayores injustificas que ha cometido la humanidad contra el sexo femenino. Incluso, cuando en la actualidad ellas se deciden a contar la guerra, su paso por ese momento crucial de España primero y del nazismo europeo después, lo suelen hacer siempre en referencia a sus compañeros, a sus hombres, y tienen que pasar muchas horas de conversación hasta que llega su propia catarsis como mujeres protagonistas.

Es entonces cuando se reencuentran consigo mismas, al narrar lo que nunca les ha parecido importante, porque nunca sus maridos, sus padres, sus hermanos, sus compañeros les concedieron ninguna atención, cuando vislumbramos su inmensa e irrenunciable trascendencia.

Cuando aquella oleada humana llegó a la frontera de Francia la encontró cerrada y defendida por los siniestros senegaleses. El terror y la desesperación se apoderaban de ellos, mientras los aviones franceses volaban sobre sus cabezas y las puertas del país «amigo» permanecían cerradas. Las mujeres ofrecían un espectáculo específicamente escalofriante. Muchas habían sido separadas de sus maridos en la larga marcha hacia el exilio. Éstas se habían quedado con unos cuantos hijos en brazos, con la madre o el padre muriéndose de frío. Detrás de las camillas y las ambulancias siempre corría alguna mujer mientras, con frecuencia, daba de mamar a los hijos pequeños que llevaba en brazos y a los hijos de otras. Una mujer de Tarrasa me explicaba, todavía traumatizada, sólo hace dos años: «¿Quién habrá podido olvidar esas horas, ese espectáculo de las montañas llenas de gente, que acampabas bajo los árboles, temblando de frío y de terror? Aquella carretera trágica que separaba la Junquera del Perthus». Y Federica Montseny, la gran Federica de la CNT, la ex ministra del gobierno de Largo Caballero, también recordaba, en 1970, ante la mesita redonda de su casa de Toulouse la gran tragedia: «Yo evacuaba con mis dos hijos pequeños, con mi madre enferma y con la madre de mi compañero. A nosotros iba agregado un grupo de familiares en el que estaba mi hermana adoptiva, con su niño de un mes. Mi madre se había roto una pierna durante el viaje y yo temía que no pudiera resistir las horas mortales de espera al pie de la línea fronteriza. Al fin encontré una camilla. ¡Atrás, no se puede pasar!

»—Es mi madre —suplicaba yo desesperada.

»Los soldados se encogían de hombros. Yo amamantaba a mi hijo y, sentada en un rincón, veía cómo los hombres se ponían furiosos ante los continuos llantos y gritos de las mujeres: "¡Hagan un poco de sitio para mi hija, por compasión!"» Aunque Federica tuviera en la guerra un lugar entre los hombres y más tarde se manifestara poco feminista, reconoció siempre, sin ambages, que la peor parte la llevaron las mujeres: «Había mujeres que acarreaban sobre sus cabezas cestos de ropa mojada, con cuatro o cinco criaturas cogidas a sus faldas... he querido demostrar cuál ha sido la contribución y la lucha heroica de la mujer durante la lucha vivida, y lo que fue el rasgo común y dominante de este noble mundo de mujeres martirizadas. La entereza, la firmeza y la capacidad de guardar un silencio estoico; condiciones y virtudes raramente reconocidas en el sexo femenino.»

El gobierno de Francia, con enorme desagrado, se encontraba con una carga, todo hay que decirlo, inasumible. La visión que ofrecían aquel millón y medio de españoles era desgarradora: los soldados sucios, llenos de piojos. Los civiles que abandonaban las mochilas, los hatillos que habían conseguido cargar hasta la frontera. Desnudos, desnudas de equipaje.

II
LOS CAMPOS

«Son como bestias», era la frase más amable que escuchaba de los franceses aquella humanidad desamparada. Se improvisaron los primeros campos de concentración: Argelés, el más grande; Barcarés, Agde, Saint-Cyprien y Vernet. A tanta gente había que encerrarla; era peligroso dejarles sueltos por el territorio. Los senegaleses fueron los encargados de los detenidos. Hay que sospechar que aquellos hombres negros podrían dar rienda suelta a sus instintos de odio y de venganza contra un grupo de raza blanca que simbolizaba el enemigo tradicional de los negros. Fuera o no casualidad, es cierto que se ensañaron a conciencia con los prisioneros. Y en especial, y por supuesto, claro está, con las mujeres obligadas a una promiscuidad impúdica, a unas humillaciones que, por su educación de mujer, nunca habían asumido con la naturalidad de los hombres.

Los hombres, algunos «hombres buenos» que han dedicado tantos libros a historiar este período tras la pérdida de la guerra han valorado poco el heroísmo en el anonimato de las mujeres vencidas. Sólo unos pocos privilegiados por su sentido de la justicia han descrito la doble tragedia del sexo femenino en su destino común con los derrotados. De este modo describe el doctor Pujol, también recluido en el campo de Argelés, la «especial» situación de la mujer en razón de su sexo: «No sería justo pasar en silencio algo que enaltece y valoriza la calidad moral de la mujer española. En general la conducta de la mujer fue de dignidad extrema. El pudor que no perdió, su esfuerzo desesperado por mantenerse moralmente limpia (?) en medio de aquel espantoso naufragio, son algo que merece ser destacado. Hubo muy pocas que descendieron de la estima de sí mismas, que olvidaron lo que debían a su propio decoro. Y si alguna lo olvidó, si alguna, acuciada por el hambre o por el *vicio*, tuvo complacencias con los gendarmes, con los oficiales franceses, con cuantos tenían derecho de pernada sobre ellas, ¡cómo las otras les hicieron pagar duramente su ligereza!

»Cuando una de estas debilidades era descubierta, las otras mujeres las perseguían con indignación, llegando hasta a desnudarlas a la vista de todos y darles palizas que les hacían pasar las ganas de volver a las andadas.»

Estas palabras sólo las puede escribir naturalmente un hombre, aunque sea un hombre bueno. A las mujeres, víctimas del hambre o de su «vicio», les llegaba el doble castigo del vencido. En aquel berengenal de promiscuidad entre hombres y mujeres resulta fácil imaginar el acoso sexual al que estarían sometidas todos los minutos de su vida. Por hambre, tal vez llegarían a prostituirse, o por salvar a su madre, o a su hermano, o a sus propios hijos y, sobre todo, ¡y cuántas! para salvar a sus propios compañeros, quienes, ciegos y soberbios, por virilidad, nunca les perdonarían que hubieran sucumbido a otro hombre. El concepto de todos los hombres sobre la moralidad de sus mujeres constituye a lo largo de toda la vida la máxima injusticia que puede sufrir un ser humano. El sentido de posesión de un hombre respecto a su mujer, a su amante, a su hija, a su hermana, a su compañera, es idéntico al del amo con el esclavo. No quiero ni pensar ni expresar aquí mi convencimiento de que los hombres de los campos de concentración darían rienda suelta a este *vicio* en la primera oportunidad que se les presentara. Normal. Ahí nace la fuente de la diferencia, éste es el núcleo que alimenta todos los temas de la diferencia.

«En los primeros tiempos en que venían confundidos hombres y mujeres, se producían, es natural, los roces continuos en los barracones y sobre la arena; el acoso de los negros y de los *blancos* (es decir los propios compañeros de destierro). «Se dieron casos como el siguiente —relata el doctor Pujol—: A la llegada de un grupo de mujeres españolas, eran obligadas a desnudarse y a ser duchadas a la vista de todos los concejales reunidos en la casa de baños para presenciar el espectáculo. Este martirio del pudor sería luego elevado a la quinta potencia en Alemania.»

En 1941 —en el mes de septiembre—, en el campo de Rivesaltes, se obligó asimismo a las refugiadas españolas a hacer la vendimia en Francia. Y se las obligaba a poner en fila, en barracas preparadas al efecto. Los patrones desfilaban ante ellas y, como en los mercados de esclavas, elegían a las que les parecían más robustas o encontraban más agraciadas. Luego estas muchachas debían defenderse a puntapiés y a puñetazos de la lujuria de esos hombres, que creían que, por lo visto, las costumbres habían vuelto a la Edad Media.

Afortunadamente, y para salvaguardar a las mujeres del acoso masculino, se establecieron las divisiones por sexos. Ello constituía una ventaja para las mujeres en cuanto a los abusos y violaciones cometidos por los hombres. Aunque ello, claro está, no respondía a ningún síntoma de generosidad ni de moralidad sino que significaba implícitamente la separación real y trágica de las parejas que se amaban, añadiéndosele al dolor de las mujeres la carga de los hijos que, por supuesto, recayó sobre ellas.

Tras esta separación cruel se extendieron unos pases semanales para que los hombres pudieran visitar a sus mujeres y así «poder desahogar sus instintos». Hasta que se hartaron de tanta complacencia y un buen día los hombres se encontraron con el consejo de que quienes quisieran ver a sus mujeres regresaran a la España de Franco...

Toda esta odisea, en la cual el sufrimiento parecía haber llegado a sus límites, no fue un punto final, sino el inicio de otro calvario mayor del cual, para nuestra apreciación actual, parece imposible que algunas y algunos hubieran podido sobrevivir. Era el año 1941. Los alemanes habían ya cubierto todo el territorio francés.

Este año los Internacionales —antiguos voluntarios de las Brigadas Internacionales— fueron enviados a África. Era el pretexto para el asesinato en masa de aquellos hombres, ordenado por los alemanes que consideraban a los internacionales como elementos antifascistas. Las mujeres tomaron la iniciativa aconsejando a los hombres que permanecieran en segundo término. Fue el campo de mujeres que se levantó, con una protesta tan violenta que los propios guardianes quedaron aterrados. En pocos minutos la avalancha de mujeres se levantó y se dirigió hacia el reducto donde se intentaba sacar a rastras de sus barracas a los internacionales. Cuando llegaron los refuerzos, se encontraron con una muralla de mujeres protegiendo el campo de los internacionales. «Con las uñas, con los dientes, con las bocas —me decía una comunista "anónima"—, nos batíamos con los senegaleses y con los gendarmes. Nos cogían por el pelo y nos arrastraban por el suelo. Nos agarrábamos a las piernas de los guardias, les mordíamos y les hacíamos caer al suelo... Ellos resistieron, pero al fin les metieron en camiones. Así fueron sacados de Argelés y llevados a los campos de África, donde muchos encontraron la muerte. Las cabecillas de aquella acción heroica fueron conducidas a la fortaleza de Mont-Louis y otras trasladadas al campo de Rieucros, considerado el Colliure de las mujeres.»

De nuevo serían las mujeres las encargadas de ejercer el oficio de la solidaridad —con los internacionales— en una gesta de agradecimiento contraída con los hombres que habían acudido a dar su vida por la causa de la revolución española. ¡Agradecimiento! ¿Acaso no habían luchado también ellas, no habían también dado su vida por la revolución? Éste es un relato de mujer que, como tantos otros, permaneció en el anonimato y en la sombra largo tiempo para no ensombrecer tantos otros relatos, tantas otras experiencias narradas por los héroes del exilio para que el mundo recordara el viacrucis de los hombres. Relato que, como todos los relatos de mujeres, terminaría en colorario feliz: «Y así fue nuestra vida, hasta que, en 1943, las que sobrevivimos pudimos por fin reunirnos con nuestros compañeros».

También Teresa Albareda, compañera del cenetista Pere Prat me escribe un retazo de su historia:

«Mi marido, un sindicalista del ramo industrial de la CNT en Terrasa, luchaba en el bando republicano por la zona de Lleida, cuando su batallón se vio obligado a huir hacia Francia, en 1939. Poco después recibí una carta desde el campo de Saint-Cyprien donde me contaba cómo llegaron a salvo a Francia, país que les habían acogido relegándoles en campos de concentración.

»En el mismo año, mi amiga Carmen Marimón, cuyo marido había corrido la misma suerte, me comentó el deseo de marchar para Francia con el fin de reunirse con él. No lo pensamos dos veces y, a pesar de contar con pocos medios (decidí vender el colchón seminuevo de mi cama a pesar de las críticas familiares y así conseguir algún dinero), nos marchamos en tren desde Terrasa hasta Figueres, ella con su hija de dos años y yo con el mío de tres.

»Las críticas de la familia de mi marido, con la que yo residía desde nuestro matrimonio (sus padres y sus dos hermanas), se recrudecieron y tuve que aguantar mil reproches como: "con otra clase de mujer el pobre Peret no hubiera llevado hasta estas últimas consecuencias su afán de cambiar el mundo... tú eres una exaltada y una imprudente... le has ayudado con sus ideas estrafalarias y ahora vais a dejar que este niño (nuestro hijo) pague las consecuencias..." Pero nada me detuvo y no quería dejar al niño en manos de quienes nunca habían confiado en la grandeza de unos ideales.

»Una vez en Figueres, nos pusimos en contacto con unas personas de raza gitana que conocían el atajo desde donde cruzaríamos Le Perthus sin papeles y a cambio de algún dinero. Aquella misma noche nos pusimos en camino y, justo al cruzar el barracón de los gendarmes en la frontera, la niña de mi amiga, afectada de un catarro, tuvo un ataque de tos que nos hizo temer lo peor. Los gitanos que nos ayudaban a pasar insultaron a la madre y a la niña de mala manera y se armó un barullo tan grande que nos preguntábamos, más tarde, cómo no había salido ningún gendarme de la caseta. Supusimos que también ellos cobraban por mantenerse callados.

»Llegadas a Argelés, nos dirigimos al campo de Saint-Cyprien, donde esperábamos encontrar a nuestros compañeros. Y así fue, pero estaban tan asustados por lo que nos podía ocurrir que nos rogaron regresar a España. Al despedirnos, unos gendarmes nos pidieron los papeles y al vernos indocumentadas y a pesar de decirles que íbamos a casa de una familia conocida que nos acogería, no atendieron a razones y nos llevaron trasladaron al campo de Argelés. Allí, recluidas a la fuerza y con una situación bastante precaria, esperábamos impacientes los cambios políticos que hicieran que nuestra situación de refugiados cambiara. La vida en el campo era de supervivencia, aunque el compañerismo entre las mujeres era total. Recuerdo que una profesora vasca de francés nos daba cada día unas clases para olvidar el aburrimiento. Fuimos muchas las que nos apuntamos al curso y recuerdo aquellos momentos como los mejores de nuestra reclusión. Seguíamos carteándonos con nuestros maridos y, en una última carta, supimos que habían pedido voluntarios para ser trasladados a campos de trabajo cerca de Estrasburgo, donde se esperaba levantar la línea Maginot.

»Nuestros maridos fueron hacia aquel destino y pasaron los cinco fatídicos años, desde finales del 1939 hasta la liberación de los campos alemanes en 1945, sin que tuviésemos ninguna noticia de ellos. En el campo, algunas mujeres podían salir a trabajar como criadas en las casas de los gendarmes. Me propuse ganar así algún dinero y convine con un gendarme unas horas de tareas domésticas en su casa. Nos hicimos buenas amigas su mujer y yo, una francesa de clase media muy peripuesta, la cual, al mostrarme su nueva habitación de madera contrachapada y al decirle que se parecía bastante a la que yo tenía en mi casa de Terrasa, me espetó: "¿Usted tiene una habitación así? Entonces, ¿por qué quiere hacer la revolución?" Volví algunos días pero me cansé de tanta estupidez y decidí quedarme en el campo, donde mis amigas habían cuidado de Román mientras yo estaba fuera. El ambiente con los gendarmes era muy desigual: algunos senegaleses eran unos brutos y unos frescos y nos trataban como animales mientras que otros, al igual que algún gendarme francés, no demostraban una particular antipatía hacia nosotras.

»Una mañana nos advirtieron que el campo estaba saturado y que iban a trasladarnos a un campo vecino, el de Bram. Nos invadió el pánico pues creíamos que nos llevarían engañadas hacia España. Además, se había declarado una epidemia de sarampión en el campo y algunos niños, incluido el mío, habían contraído la enfermedad. Pero no pudimos escoger y tuvimos que montar con nuestras pobres pertenencias y nuestros hijos en un camión, y luego en un tren que nos llevaría al campo de

Bram. Recuerdo con especial emoción el momento en que esperábamos el tren en la estación, donde un grupo de mujeres bastante numeroso nos preguntó si queríamos leche caliente para nuestros hijos. Iban cargadas de biberones y el llanto y los abrazos fueron indescriptibles.

»En Bram, las condiciones de reclusión eran mejores, incluso había un barracón habilitado como enfermería con varias camillas y una buena atención. Recuerdo que mi hijo estaba en plena crisis de sarampión y no dejaron que me lo llevara conmigo aquella noche. Le instalaron en una cama de la enfermería donde me dijeron que iba a estar bien cuidado. Me acosté muy tarde y, muy pronto por la mañana, me dirigí al lugar donde le había dejado y sentí mis piernas vacilar cuando vi la almohada donde reposaba su cabeza empapada de sangre. Parece ser que tuvo una crisis de tos nocturna de la cual nadie se dio cuenta. Al oír mis gritos acudió un médico, también refugiado republicano, que me tranquilizó. De hecho, el niño estaba mejor y pude llevármelo aquel mismo día.

»No recuerdo cuánto tiempo transcurrió entre campo y campo, pero sí recuerdo cómo nos embargó a mi amiga y a mí el desánimo al no recibir noticias de nuestros compañeros. Un nuevo decreto apareció en el campo donde los gendarmes nos informaron de que quien quisiera regresar a su país podía hacerlo muy pronto sin que hubiera detenciones ni represalias en la frontera.

»En el momento de nuestra marcha, al ir a subir al tren que nos llevaría desde Bram a Figueres, un grupo de gentes nos insultaron a gritos diciendo: "Allez, partez, Espagnols de merde... allez manger le pain de Franco maintenant que vous avez mangé le nôtre!...

»Al llegar a Figueres, me detuvieron por indocumentada e ingresé en prisión. Pude ponerme en contacto con mi familia en Terrasa y pronto acudieron a recoger al niño. Pasé un tiempo en la prisión de Figueres, donde la instrucción diaria a las recluidas nos hacía levantar el brazo en alto y cantar el cara al sol. Una compañera tuvo un ataque de rebeldía y se negó a bajar a la sala donde se nos "instruía" alegando tener la regla y que le dolían los riñones. "Que baje inmediatamente, ordenó el guardia; si le duelen los riñones a mi me duelen los cojones." La vejación era continua y por fin mi hermano fue a rescatarme con la documentación necesaria.

»Una vez en Terrasa, no regresé a casa de mi marido sino que me trasladé de nuevo con mi madre y mi hermano a una humilde casa de un barrio obrero. Allí nos quedamos un tiempo mi hijo y yo, y empecé a trabajar en una fábrica de telares para ganarme la vida. Estuve en aquella situación seis largos años, hasta que recibí carta desde Francia de mi marido, pidiéndome que nos reuniéramos en Andorra, una vez terminado el tratamiento médico que la Cruz Roja Internacional estaba aplicando a los liberados de los campos de concentración nazis.

»En la primavera de 1946 me reuní por fin con él en Andorra, no sin pasar unos apuros terribles por falta de documentación y tener que cruzar la frontera por las altas montañas del Pirineo, donde me perdí y tuve que pasar una noche con lo puesto. A la mañana siguiente, unos pastores me indicaron con precisión el camino a seguir para llegar hasta Sant Julià, primer pueblo andorrano, y al mediodía pude por fin reunirme con mi compañero, que me esperaba en la plaza de las Escaldes.»

Abandonados a su suerte los «peatones de la historia», en las cárceles, en los campos de concentración, en particular en el Mauthausen, en territorio austríaco, en los refugios, en los hospitales, los generales y altos jefes del Ejército, las más destacadas personalidades políticas y sindicales no tuvieron esta suerte. La mayoría, debido al escaso poder que todavía podían ejercer, encontraron vías menos traumáticas para escapar de la tremenda represión de la que sería víctima el «pueblo español» vencido.

Se solidaridaron con ellos el S.E.R.E. (Servicio de Evacuación de Republicanos Españoles, de influencia comunista) y el J.A.R.E. (Junta de Ayuda a los Refugiados Españoles, de tendencia socialista republicana), que eran, en efecto, organismos de solidaridad, pero desgraciadamente no consiguieron solucionar más que mínimamente el grave problema de los refugiados españoles en Francia.

Por otro lado, los veteranos de la guerrilla siguieron durante largo tiempo dedicados al enfrentamiento desigual y suicida contra el gobierno de Franco y, en concreto, con los elementos de la Guardia Civil que les esperaban armados con fusiles en los montes y en las carreteras.

De las listas todavía hoy muy incompletas de aquellos patriotas pocos nombres de mujeres he conseguido encontrar. Por ello, en este recuerdo, no quiero olvidarme de Julia Mirabé, de «La Maña» ni de «Pilar», de Zaragoza, que fue torturada de tal manera que, cuando fue encerrada en su celda, rompió el cántaro de agua y con los cascotes se cortó la yugular. Junto a «La Maña» se puso en pie una organización de ayuda urgente a los guerrilleros detenidos para confeccionar falsos avales y papeles de todo tipo: «Aroma», Trinidad Llorens, Carmen Herrera, Pepita... Pocos apellidos, como se ve, salvo algunas que escogieron los de sus compañeros.

He querido extenderme en la publicación de la historia oral de Teresa Albareda porque, como será habitual en las páginas de este libro, pienso sin ningún pudor rendir mi propio homenaje a las mujeres de la guerra que he tenido el honor de conocer.

En 1944, el «maquis», organización clandestina de la que nadie conocía apenas el nombre, fue liberando a los españoles de los campos, tras cuatro años y medio de calvario, de miserias, de sufrimiento y de las más perversas humillaciones. Muchos, los más débiles, los enfermos, los heridos, habían muerto a centenares.

III
LAS CÁRCELES DE DENTRO

¿Y las que no supieron, no pudieron o no quisieron escapar? ¿Qué fue de ellas? Las vencidas corrieron igual destino que los vencidos: las cárceles, las penas de muerte, el silencio en casa, las largas colas del racionamiento mientras las del bando fascista entraban a tomar de nuevo posesión de su hogar y en una vida esplendorosa que sus opulentos maridos cuidaban de preservar para pasearlas y llevarlas del brazo en las primeras fiestas de sociedad. Las niñas vencedoras crecerían en manos de las monjas y de la Sección Femenina en olor de ignorancia, rezando al son de la Iglesia y cantando y bailando al de la Falange. El Ca Ca Ca (K, K, K, versus Casa, Niños, Iglesia), sería la nueva consigna de Franco.

La inmensa mayoría de las mujeres afiliadas a los diversos partidos políticos y organizaciones sindicales de la República no habían participado en la guerra directamente, sino en la retaguardia. Hubo excepciones, por supuesto, como Lina Odena (comunista), que estuvo en el frente de Granada como comandante del ejército. Una mujer excepcional que se suicidó ante la llegada de los falangistas. Un gran trofeo para el enemigo. Una mujer que tuvo su propio poema:

Ya no veremos tu risa,
¡tu estrella de comandante!
ya tus palabras guerreras

no encenderán nuestra sangre...
... ya no sonará tu voz
por los soldados leales...
sólo sonará tu cuerpo
cayendo en los olivares.
Sólo contra las arenas,
a luz sonará tu sangre...
Tu caíste, Lina Odena,
pero no tus libertades,
que de Málaga a Granada
tierra, trigo y olivares...
... y las novias y las madres
no temen ya a criminales.
¡Que de Málaga a Granada
los caminos son leales!
¡Que todo alberga alegrías:
sólo tu muerte pesares!

A este verso de Lorenzo Varela publicado en *El Mono Azul*, por su pasión, por la oportunidad del momento, le encuentro yo más grandeza que al de Rafael Alberti, y los de otros, dedicados a Pasionaria. ¡Qué quieren que les diga!

Haberlas, hubo algunas, sobre todo al principio del Alzamiento, que lucharon en las trincheras y cogieron el fusil. Las milicianas destacaron por su heroísmo. Pero pronto se dio la orden del regreso, de que se quedasen como cocineras, modistas, enfermeras y comadronas en la retaguardia. Por otro lado, tampoco entre ellas aunaron esfuerzos. Seguían, por supuesto, el mal ejemplo de los hombres en las trincheras y en los mandos militares, que, como es sabido, entre ellos tampoco se entendían. Los anarquistas y los del POUM, contra los del Partido comunista. Cada uno tenía su feudo en la guerra y las mujeres de cada uno pertenecían y obedecían a ese feudo. Las peleas e incluso atentados más continuos se producían entre libertarios y comunistas. Al principio fue la guerra dentro de la guerra y la cosa llegó a su punto álgido cuando los anarquistas y el POUM intentaron asaltar la Generalitat y tomar la Telefónica.

Se produjo un enorme tiroteo y los locales del Paseo de Gracia donde estaba el comité local del PSUC fue bombardeado durante tres días. ¡Cuánto le sirvieron a Franco las rencillas entre la izquierda!

«Se nos decía simplemente: Pensad lo que podríais hacer para traer más chicas a la organización, y entonces hacíamos unos concursos de labor, pero por encargo. Hacíamos reuniones, pero no nos planteábamos el análisis político. Lo que nos planteábamos era el trabajo de captación de gente, atraer gente. Y cuando había que hacer guardias y había que hacer pintadas nos decían: Bueno, venid con nosotros, pero era para despistar cuando llegaba la policía, y abrazarnos en pareja y tapar la pintada. Todo en plan de colaboración. Que yo, hoy en día, cuando se quejan las mujeres pienso: ¡pues no hemos ganado terreno!

»Si yo digo ahora que sí, que eso nos humillaba, pues no es exactamente cierto... Aceptábamos esta inferioridad. Porque aceptábamos que los chicos eran más valientes que nosotras... Y no olvides que incluso esta Madre (la de Gorki), que a mí me decide a luchar, es una madre colaboracionista, no es una madre consciente y luchadora ella de por sí...»

Estas palabras de Soledad Real, que pertenecía al Partido comunista, han sido posteriormente recogidas en el libro *Las cárceles de Soledad Real*, de Consuelo García (Alfaguara, 1982). Por mi propia experiencia diré que, de todos, quizás fuera este partido el más reaccionario y desleal con respecto a las mujeres.

Gracias quizás a que en el movimiento libertario se introdujeron mujeres más conscientes de lo que significaba el compromiso anarquista (palabra que nada le gustaba, por cierto, a Federica Montseny), la mujer fue considerada como una compañera de lucha dejándola —o no prohibiéndole al menos— entrar con pleno derecho como miliciana, en la contienda. Las demás estuvieron en la retaguardia y las del frente siguieron siendo excepciones, como Lina Odena, Aida Lafuente, Soledad Mercader o la misma Dolores. Esta escasa participación en las trincheras, en el frente, no les incumbía a los fascistas que, en las horas del peor terror, siempre se cebaron con mayor sadismo en las mujeres, probablemente con el doble intento de saciar sus compulsiones y represiones sexuales y de herir la virilidad de los hombres a través de sus mujeres. Desde el principio de la guerra, los fascistas utilizaron las tácticas más repugnantes contra las mujeres. A las detenidas las afeitaban y les daban aceite de ricino en cantidades insoportables. Luego las paseaban en procesión por los pueblos mientras que con la incontinencia provocada por el aceite de ricino defecaban en el paseo. Quizás por ello no es de extrañar, por otro lado, que en aquel entonces las mujeres hubieran abandonado la polémica feminista.

Tras la interminable salida de España de los antifascistas y tras el calvario que pasaron en los campos de concentración franceses, una vez comenzada la guerra mundial, al gobierno francés no le interesaba mantener en sus campos tantos miles de refugiados españoles, en su mayoría tan deteriorados e inservibles; sobre todo, por supuesto, los ancianos y las mujeres. Así que, con toda impunidad y deslealtad hacia unos hombres y mujeres que habían luchado los primeros contra el fascismo, los franceses iniciaron la «vuelta a casa» de los españoles. Aceptaron de mala gana, en principio, a los voluntarios a quienes todavía les quedaban arrestos para seguir la lucha iniciada contra el fascismo en España. Pensaban, y no pensaban bien, que si en Europa se ganaba la guerra contra los facciosos, podrían regresar victoriosos a una España sin Franco.

Capítulo aparte merecen todos aquellos que se quedaron y se incorporaron a la resistencia francesa, cuya trayectoria sería siempre más gloriosa que la que sufrieron los que no tuvieron otro remedio que regresar. Éstos creían en el fondo que tal vez Franco iba a cumplir el pacto hecho con el gobierno francés de respetar a los vencidos. Nunca pudieron imaginar lo qué les esperaba en el suelo del país por el que tanto habían sufrido y tanta sangre inútil habían derramado.

Al principio intentaron organizarse y llevar una vida discreta. La mayoría realizaban trabajos de propaganda e intentaban crear las bases para que las organizaciones sindicales y los partidos se hallaran en plena forma en el momento en que Hitler perdiera la guerra y así poder reemprender la lucha contra Franco.

Pero la policía del sanguinario dictador también se organizó y pronto empezaron los registros y las detenciones. Soledad Real explica el momento de su detención, que será la historia interminable de la depuración de los antifascistas:

«Llaman otra vez y dicen: Abran, la policía. Derriban la puerta de un empujón, entran y, sin decir nada, empiezan a ponerlo todo patas arriba. Encuentran, claro, máquinas de escribir, ficheros, pasaportes falsificados, documentos de propaganda clandestina... A mí me pegaban tres parejas de dos en dos, que se turnaban... Me tiraron al suelo a vergajazos, y a vergajazos y como si fuera un colchón me seguían pegando como cayera. Y tanto me pegaron que el paño higiénico salió allí en medio... Me dejaron hecha un monstruo. Estaba tan hinchada que cuando me bajaban le dicen al guardia: Tú, de vez en cuando, le das un puntapié a ésta, para que vaya rodando por las escaleras.»

Era la primera entrada en los calabozos de tanta gente que pronto fue localizada. En aquellos momentos el terror debía paralizar el corazón. Sería difícil poder explicar científicamente, médicamente, cómo aquellos seres pudieron resistir las criminales palizas de la policía. Soledad Real confiesa que quiso suicidarse varias veces: «Me habían pegado tanto que al día siguiente, yo, que era una persona delgada, no cabía en uno de esos sillones de despacho que son tan grandes. Me sentaron de un puñetazo y cuando me dijeron de levantarme ya no podía salir y, entre varios, me tuvieron que arrancar del sillón.»

Las mujeres regresadas de Francia y las que no se habían ido pasaron los primeros días en los calabozos, donde se encontraron con las primeras estraperlistas, las cuales les atendieron con el afecto que suele caracterizar a las mujeres delincuentes por la solidaridad del sexo. Porque, hay que repetirlo, y no pienso cansarme de hacerlo a lo largo de este libro: en cualquier momento de la vida, en el más difícil momento de la vida en que pueda encontrarse el ser humano, si este ser humano es mujer, su padecimiento siempre será doble.

Fifí, la miliciana, me contó en un caluroso mes de agosto los recuerdos de sus tres años de lucha. Desde que salió de la cárcel, se ganaba la vida haciendo de conductora de autocar entre dos pueblecitos cercanos a Madrid. Su historia, historia que cuenta a veces con ojos enardecidos, a veces a grandes carcajadas y dándose palmadas en los muslos, es la historia de centenares de milicianas:

«Formé parte de una brigada dirigida por un comunista. El sentido del compañerismo y de la disciplina entre milicianos y milicianas era total. No teníamos miedo, nunca pasé miedo en el frente. Nunca. Jamás temí el asalto de ningún compañero, jamás sufrí una broma de mal gusto... Les hacía la comida, no por ser mujer, sino porque así terminábamos antes. Los compañeros eran patosos, torpes... Estuve en el Socorro Rojo y, sí, disparé muchas veces contra alguien. ¿Acaso no disparaban los nacionales?... Cuando pasábamos con los camiones, los trabajadores, los campesinos nos saludaban levantando el puño, era muy emocionante... Terminada la guerra, me metieron en la cárcel de Madrid. Luego, de Madrid, tras otro juicio, me trasladaron a Colmenar, junto a otra sentenciada a muerte. Nos esperaba un camión... Vimos fusilar a mucha gente. Sólo quedamos nosotras dos, no porque fuéramos mujeres, sino porque estábamos de paso. A mí me habían detenido por una denuncia. A la otra, ¡yo qué sé! Habían detenido a sus dos hijos antes... ¡Sería por eso!»

Fifí, aunque cueste trabajo comprenderlo, no hablaba con odio. A veces parecía entender y amar. Me habló del juicio que la condenaría a muerte:

«Los juicios, ¿sabes? eran apañados. Teníamos abogados, eso sí, pero abogados que no conocíamos de nada. Recuerdo que vi a un chico alto, joven y muy guapo..., aquel era el abogado de mi juicio. Pero los abogados hablaban cuatro palabras y eso era todo lo que hacían. En resumen, me condenaron a muerte... Estaba en la galería de condenadas a muerte... Llegaron indultos: cadena perpetua, treinta años, veinte... Las condenadas a muerte, aunque oficialmente no gozábamos de ningún tipo de consideración, en cambio las compañeras de la cocina, cuando había lentejas, por ejemplo, nos ponían todo el tocino en nuestros platos... Todo era muy difícil... éramos unas doce mil reclusas e incluso teníamos que dormir en las aceras de los patios, en los portalones, en cualquier sitio... Pero en seguida nos organizamos políticamente. En el mismo momento en que acabó la guerra quedó organizado el partido. El Comité Central y los Comités Provinciales funcionaron en toda España. En las cárceles había actividades políticas y había que tener disciplina. Yo, que soy muy anarquista por dentro, era no obstante muy disciplinada porque el partido lo recomendaba por encima de todo. Nos hacíamos valer ante la dirección, para luego tener más fuerza para plantear las reclamaciones. Estudiábamos mucho. Había profesoras presas que una hora antes de levantarnos nos daban clase.

»Me trasladaron varias veces más. Tenían un gran empeño en separarnos a todas las madres de las hijas, a las hermanas de las hermanas, a las compañeras entre sí... En las cárceles había monjas y funcionarias encargadas de nuestra vigilancia. El trato con las monjas era mucho más difícil. Algunas eran sádicas. Reprimidas. Los funcionarias, al fin y al cabo, tras su jornada en la cárcel eran mujeres normales, con sus familias, con sus problemas cotidianos. Pero las monjas no. Todas las presas preferíamos estar con las funcionarias que con las monjas... Te hacían la vida imposible.

»La mujer a quien más admiré fue Matilde Landa Vaz, en Palma de Mallorca. La mejor comunista que he conocido, la más íntegra. Era extremeña y fue secretaria general del Partido Comunista de toda España cuando terminó la guerra. Todas las que estábamos con ella vivimos una vida intensa y de comprensión del porqué estábamos allí. Recuerdo que sor Francisca, una monja que había sido falangista, le hacía la vida imposible porque estaba sin bautizar. La metieron un año en un calabozo, enferma como estaba del pecho... Había otras mujeres, compañeras entrañables: Áurea, Cristina, Agripina... Fueron días de terror por encima de todo: haber sido del Socorro Rojo era suficiente para ser condenada a muerte...»

Con estas últimas palabras de su relato Fifí quedó absorta, distraída, lejos. Se le cerró la alegría a Fifí, y a mí. La historia de Fifí, otras historias, muchas historias, son idénticas, aunque no se hayan contado.

De ninguna manera he iniciado este trabajo basándome en un feminismo quejumbroso. Por fortuna en esta época muchas mujeres se están ya dando cuenta exacta de esta realidad. Tampoco me mueven los falsos cantos de sirena y no soy de las que piensan que las mujeres —ni en su minoría— hayan ya alcanzado plena dignidad como personas. Éstas no se cuentan ni con los dedos de las manos. Me mueve la voluntad inquebrantable de dar testimino de las palabras de mis protagonistas a las cuales el inmenso padecimiento compartido por sus compañeros les ha dado la lucidez, en la posterior reflexión, en el recuento y análisis de su propia existencia, de ver, de constatar que, en efecto, ellas fueron quienes llevaron la peor parte.

Los relatos de los escasos testimonios contados por mujeres que sufrieron la represión franquista, al igual que las mujeres judías en Alemania, difieren en calidad y por el refinamiento sexual de sus verdugos, de los relatos de los hombres. Desnudas durante horas bajo las duchas frías, desnudas en los interrogatorios, colgadas de columnas, cigarrillos contra los pezones de las niñas, violaciones de veinte tíos uno tras otro. Ésta es la terrible, la condenada diferencia.

Consejos de guerra sumarísimos con penas de muerte o cadena perpetua. No había ni otra esperanza ni otro pavor. Los jueces, militares por supuesto, bostezando, mientras el fiscal de turno solía ser un brillante malvado, un inquisidor que, aun en los juicios, intentaba sacar información sobre las checas comunistas. Esta verborrea repleta de sadismo y de venganza naturalmente era aprovechada luego para la propaganda franquista contra los vencidos. No es de extrañar que, en el momento del regreso a la cárcel, de las mujeres juzgadas, quienes estaban al mando de la vigilancia procedieran con mayor dureza y ensañamiento contra los pelotones que habían sufrido —unas cincuenta eran juzgadas a la vez— juicio sumarísimo. Las encargadas de las cárceles solían ser monjas y algunas funcionarias. Algunas monjas llegaron a cubrir el cupo de la maldad y la venganza demoníaca con su actitud de crueldad innecesaria. Parece que hicieron suya, todas y cada una de ellas, la ira de Cristo al echar a los mercaderes del templo.

Durante los años que las mujeres «políticas» permanecieron en las cárceles españolas, la mayoría no querían la promiscuidad con las presas que llegaban por delitos típicamente femeninos: prostitución, intentonas de aborto, ayuda al aborto, algún robo y algún asesinato. Las políticas nunca sintieron la solidaridad del sexo y preferían el aislamiento a la compañía de otras mujeres que, al fin y al cabo, iban a ser las nuevas víctimas de la miseria de un país. Miseria de la que sólo se salvarían los y las fascistas, junto con quienes se habían apuntado rápidamente a aquello de «ser adictos» al régimen.

Los adictos se salvaron desde el inicio de una de las más penosas experiencias de los vencidos que quedaron en España: Los registros policiales de madrugada, las detenciones indiscriminadas, los fusilamientos del Campo de la Bota en Barcelona: «¡Qué días, qué horribles días! Yo ya ni pensaba en mi estado. Hay momentos en la vida en que nuestro propio cuerpo parece no existir, en que el alma asciende a tales cimas impersonales de horror y desesperación, en que todo lo que es individual y nos pertenece deja de tener importancia y sentido —me explicaba la anarquista llamada Manolita, en una conversación de una memoria todavía flagelada—: Después de haberme rapado al cero, de haberme insultado y golpeado cuanto les vino en gana, una mañana me incluyeron en un cargamento de mujeres destinadas a la cárcel. ¡La cárcel! ¡Jamás había estado en ella!... No sé cómo ni de dónde, en pocos días, los frailes y las monjas reaparecieron por todas partes. La cárcel de mujeres estaba de nuevo regentada por las monjas... ¡Qué había de ser de nosotras caídas en sus manos vengativas, recientes todavía las persecuciones desencadenadas contra ellas... Y, sin embargo, la Revolución fue generosa con ellas; los milicianos no se mancharon jamás las manos con sangre de mujer por el hecho de llevar hábitos...»

Todos estos miles de mujeres que combatieron unidas por defender a la patria contra los ideales del fascio que se había infiltrado en España, a través de José Antonio y luego tan bien acogido por aquel hombre vanidoso, carente de un ideal propio y de un mínimo sentido del humanismo; por aquel hombrecillo inculto, de voz de eunuco y pulso firme a la hora de poner en práctica sus asesinatos masivos con el fin de mantenerse en el poder, contra aquellos miles de mujeres, decía, que iban a sufrir hasta el límite del dolor.

Franco supo utilizar con la mayor frialdad a los señoritos chulos de la Falange, viejos sostenedores del jacarandoso general Queipo de Llano, para que perdieran el tiempo en los simulacros de los masivos procesos. Cogían a hombres y mujeres en grupos, los adosaban contra un muro y los fusilaban sin más preámbulos. A veces, para no cansarse en exceso, puesto que el trabajo era duro y largo, les hacían cavar previamente sus fosas y les fusilaban de pie ante ellas. Un breve golpecito hacía caer los cadáveres sobre su propia sepultura. Cuando las asesinadas eran mujeres, y jóvenes, y todavía hermosas, solían practicar el ritual necrofílico machista: Las desnudaban y contemplaban aquellos cuerpos jóvenes inertes, que no oponían ninguna resistencia a ser violados.

El relato de las mujeres que estuvieron en las primeras cárceles de Franco, que sufrieron las iras falangistas, es interminable y es imposible resumirlo ni en este libro ni en una enciclopedia de un millón de páginas. Cada palabra que esta gente al fin pudo pronunciar hay que tomarla como la palabra y el dolor de miles y miles de mujeres que corrieron la misma suerte: desaparecidas, muertas, en su gran mayoría ignoradas por los historiadores que han escrito la vida de los hombres en la guerra civil.

Habían pasado algunos años de la represión feroz. A partir de 1945 sería más selectiva. A las cárceles de mujeres seguían llegando nuevas hornadas que, después de la guerra mundial, y al comprobar que aquí nada había cambiado, que nadie de los que no claudicaron podía incorporarse a una sociedad que se había establecido como única, como nacional; eran las que habían intentado organizarse en el interior sirviendo de enlace con los compañeros. Manolita me lo contaba: «Sin que me ciegue la pasión del sexo, debo decir bien alto y con mucho orgullo que en la lucha librada silenciosamente en España contra Franco, el papel principal lo han desempeñado las mujeres. Han sido las más cautelosas, las más inteligentes, las que han sabido despistar mejor a la policía, las de más confianza, las que, cuando han caído, han sabido resistir mejor los interrogatorios de horas y horas y los apaleamientos... mujeres aragonesas, calladas y tozudas; vascas, hoscas e impávidas; andaluzas llenas de pasión que se defendían a mordiscos y arañazos, como podían; sobrias catalanas, parcas en palabras y en gestos, pero hábiles para llevar los diálogos con la policía en un terreno neutro. ¡Cuánto bien han hecho estas mujeres, con sus valientes silencios, su obra callada y constante!

Hay que recordar que, a partir de 1945, la desbandada italiana y alemana y el fin de la guerra dieron la posibilidad de que la resistencia ejercida desde dentro, las incursiones del maquis y los que, en el exterior, de alguna forma habían sido liberados, entre todos podían haber resucitado la revolución contra Franco. Pero, a pesar de las nuevas ilusiones y de las nuevas esperanzas, todas las fuerzas de la izquierda se encontraban agotadas y, si en algún momento es cierto que se intentó derrocar a Franco, la ayuda que los ingleses y los americanos se disponían a ofrecerle al caudillo terminó con todas sus aspiraciones. Así, en aquellos momentos, pronto se disipó el inicio de cualquier audacia. Todos habían sido engañados, sobre todo por las fuerzas aliadas. Sólo la muerte de Franco u otra guerra mundial podía recuperar la España de todos los españoles... cosa que todavía no ha acaecido. Muchas decidieron volver a Francia al encuentro de sus compañeros, de los amigos, de las familias. Hay que decir que, a partir de entonces, mejor suerte corrieron ya que pudieron, en su mayoría, rehacer sus vidas. A los que se quedaron, o no pudieron irse, o no quisieron, les esperaba un largo período de silencio, de miseria y de terror. La voz unánime de las que se marcharon ha sido una sola voz: «Pienso en las que se han quedado, las que están todavía en la cárcel, las que han entrado de nuevo y las que entrarán...»

En estos relatos de mujeres, muchos de cuyos nombres mantengo anónimos por su propia voluntad, he intentado describir el horror de todas las que sufrieron el mismo destino. Mi intención ha sido ambiciosa: Demostrar con estos textos cuál ha sido la contribución de la mujer durante aquella lucha vivida en las entrañas. «Lo que quiero es no olvidar», decía Victoria Kent. «Lo que quiero es olvidar», me escribía Mercè Rodoreda. Ni una ni otra lo consiguieron. Lo que en realidad pasó es que ellas fueron olvidadas.

IV
LA SECCIÓN FEMENINA EN EL PODER... Y EN LA DECADENCIA

«Gracias, Pilar». Con estas escuetas palabras, «como corresponde al laconismo militar de nuestro estilo», (José Antonio), Alfonso Osorio, vicepresidente del Gobierno, liquidaba a la Sección Femenina del Movimiento. El Decreto Ley del 1 de abril de 1977 era taxativo. El Decretazo contra el Movimiento despedía sin ceremonia a tres generaciones de mujeres que, bajo el mandato de Pilar Primo de Rivera, habrían formado, a su estilo, el colectivo de mujeres españolas adictas o no al régimen de Franco.

En realidad se trataba, pensaría y nunca diría Pilar, del odio alargado del Dictador contra la Falange necesaria, del odio viejo que ya en los primeros años de la victoria le llevaría a las condenas a muerte del camarada Hedilla, de Pérez Cabo... El 7 de mayo de aquel mismo año, en el patio del castillo de la Mota, se reunían alrededor de 15.000 personas para rendir homenaje a la hermana predilecta de José Antonio Primo de Rivera. La nueva Administración había dado carpetazo a un episodio importante de la historia del franquismo. El director general de Asistencia y Servicios Sociales expresaba su reconocimiento a Pilar: «En el creciente guirigay de revanchas y denuestos en el que está entrando nuestro país, la Sección Femenina se salva. Surgirán tentativas, qué duda cabe, de enlodar su obra, pero nadie podrá presentar argumentos, mínimamente sólidos, que puedan ensombrecerla, porque nadie tiene títulos suficientes para enfrentarse con la honestidad, con la eficacia, con el rigor, con la austeridad, con la abnegación y con el buen hacer con que han trabajado las mujeres que Pilar ha formado, promoción tras promoción.»

«... La Sección Femenina ha sido la excepción, probablemente la única excepción, de estricta identidad con la que José Antonio había soñado para nuestro pueblo.»

La Sección Femenina se fue desintegrando poco a poco, aunque a la mayoría de sus militantes se les ofrecieron diversas plazas en los Ministerios. Los archivos se encuentran en Alcalá de Henares y, en la actualidad, dependen de la Presidencia.

«Así empezó el desmantelamiento de lo que durante cuarenta años se había edificado con tanto esfuerzo —comenta Pilar en su libro *Recuerdos de una vida*—. Todos los descontentos, los aprovechados, los ambiciosos, los miedosos, los decididos a cambiar de chaqueta con tal de situarse, se lanzaron al ruedo de la nueva situación. Camaradas que habíamos conocido durante años llenos de entusiasmos falangistas eran ahora unos demócratas irrefrenables. Si habían ocupado altos puestos en el régimen de Franco, renegaban de ello, como para hacerse perdonar el haber sido ministros, embajadores, rectores de Universidad... una vergüenza y, en casos, una traición a juramentos prestados.»

Pilar se retiró sin pensión alguna. Se retiró elegantemente por el foro del teatro de la política. Se limitó a unas apariciones de excepción junto a los líderes de la ultraderecha, como Blas Piñar o Girón. O en las conmemoraciones de los aniversarios de la muerte de su hermano, siempre brazo en alto.

También Belén Landáburu pidió excedencia como funcionaria, ya alejada de sus antiguas camaradas y más próxima al Opus Dei. Teresa Loring, la mano derecha de Pilar, pasó a la Secretaría General Técnica del Ministerio de Cultura. Otras importantes, como Alicia Lage, Consuelo Valcárcel, Maruja Sanpelayo... pasaron a ocupar importantes cargos en diversos ministerios, sobre todo en el de Cultura. Y Mónica Plaza, falangista entre las falangistas, la camarada que lo controlaba todo en la organización, fue, y las mujeres españolas no tienen que olvidarlo, la que logró en las Cortes de 1978 que se aprobara una ley que consagraba el principio de igualdad de salarios para trabajos iguales entre hombres y mujeres. Mónica se colocó bajo las órdenes de Carmela García Moreno, directora general de Cultura. Dado que la mayoría de los mandos de la Sección Femenina tenían una notable educación, y muchas de ellas procedían de la Universidad, la transición las acogió con buen criterio para destacados cargos de su funcionariado.

A todo eso, y al margen de los destinos particulares escogidos por cada una, la mayoría se mantuvieron estrechamente unidas bajo la asociación sociocultural *Nueva Andadura*, con hondas raíces joseantonianas. Su presidenta, Concepción del Pozo, manifestaba en una entrevista a *Interviu*: «Nos hemos puesto a hacer cosas por aquello que creemos bueno para España y los españoles. Una España en la que quepan todos los españoles y sus plurales opiniones.» También, y sobre todo, la creación de *Andadura* les serviría de nexo de unión entre ellas, mujeres que habían convivido sin fisiones varios decenios de vivencias comunes. Y, cómo no, para defender su labor durante los tiempos franquistas, como compañeras de viaje de la Dictadura, es cierto, pero con una independencia y una singular manera (positiva, me atrevo a añadir) de educar y arrancar a las mujeres del pozo ancestral de la ignorancia y la catatonia intelectual de entonces.

Aún a riesgo de extenderme en exceso, siento que es preciso seguir con las palabras de Pilar porque son el compendio de su ideología: En referencia a UCD, a la legalización del Partido comunista, a la ley del divorcio, al proceso de la reinstauración de las autonomías, en los años 77 y 78 queda definitivamente claro su pensamiento político.

«Toda esta descomposición dio lugar a un intento de golpe militar el 23 de febrero de 1981, encabezado por el prestigioso general Milans del Bosch, héroe de nuestra guerra y de la División Azul; el general Armada y el teniente coronel de la Guardia Civil, Tejero Molina, que ocupó las Cortes y sometió a todos los diputados para tratar de salvar a España de la catástrofe, en un intento de reconducción del proceso político, pero sin derramar una sola gota de sangre. La verdad es que cuando los españoles vimos por "la tele" todo el proceso de este levantamiento muchos nos llenamos de esperanza. Yo recordaba el golpe de Estado de mi padre que, sin ninguna violencia, dio a España siete años de paz y de prosperidad. El 23-F fracasó y siguieron las condenas a sus protagonistas, pero ¿no habrá fracasado también España?»

A lo largo de este trabajo aparecerá, en este intento de recordar la historia, en este intenso ejercicio por recuperar un poco más la verdad de lo ocurrido y, sobre todo, la realidad del destino que siguieron las mujeres españolas, de uno y otro lado, aparecerá, digo, con frecuencia, mi empeño por demostrar que todas las militantes falangistas, las comunistas, las anarquistas, las socialistas, todas, sin distinción política, consciente o inconscientemente, tuvieron que sufrir la afrenta de su condición de «segundo sexo». En efecto, los historiadores críticos contra la derecha o contra la izquierda se encontraron con el mismo lenguaje respecto a «sus» mujeres. «Una de las características de los fascismos es relegar a la mujer a un papel suplementario en relación con el hombre. Las labores del hogar y las domésticas en general ocuparon la mayoría de las actividades de la Sección Femenina de Falange. Excepto durante la guerra, en que se decidieron a hacer labores auxiliares sanitarias y prestar otras ayudas a los frentes en lucha». (Eduardo Álvarez Puga, en *Diccionario de la Falange,* Dopesa, 1977). José Antonio, en uno de sus escasos discursos dedicados a la mujer, hacía esta declaración de principios cuyas mismas palabras utilizaron los compañeros de la CNT, los camaradas comunistas, los socialistas...: «No somos feministas. No entendemos que la manera de respetar a la mujer consista en sustraerla a su magnífico destino y entregarla a funciones varoniles. A mí siempre me ha dado tristeza ver a la mujer en ejercicios de hombre, toda afanada y desquiciada en una rivalidad con los hombres, entre la morbosa complacencia de los competidores masculinos, y que lleva todas las de perder.»

Pilar, muchos años más tarde, se expresaría conmigo en los mismos términos. Dolores Ibárruri coincidía con Pilar, con José Antonio, con Federica Montseny y con Margarita Nelken, quien se había opuesto al voto de las mujeres. Sin embargo, hay que decir sin sonrojo que la única que no cumplió con los principios fundamentales de su hermano fascista fue la propia Pilar con «sus chicas». Por supuesto, no tuvo el coraje ni el convencimiento necesario para liberar a las mujeres casadas o viudas, pero «las solteras son libres». En su mayoría, las mujeres afiliadas a la Sección Femenina de Falange —pasando de puntillas por una ideología que apenas comprendían— llevaron, a través del deporte, del trabajo, de las cátedras ambulantes, de los Coros y Danzas, de las Universidades, su libertad a lo más alto que hasta entonces hubiera conseguido ningún otro colectivo femenino.

En cuanto a la participación de las mujeres falangistas en la guerra, fue más bien escasa. No entraron, salvo alguna excepción, en la dialéctica de los puños y las pistolas y se dedicaron, como las republicanas, en la retaguardia, a la asistencia social y sanitaria de los heridos. Las de la Sección Femenina cosían y remendaban las camisas de sus hombres y las republicanas cosían y remendaban las camisas de sus hombres. Recuerdo en estos momentos un comentario mordaz de la mordaz Maria Aurelia Capmany, al comentar a la salida de un cine de París la película *Morir en Madrid*: «¿Te has fijado? En toda la película sólo sale una mujer: la que sirve el café a sus camaradas.»

En una conversación sostenida años más tarde con Pilar en su despacho de Madrid, respondió con vehemencia a uno de los misterios mejor guardados de la historia. José Antonio, desde la cárcel de Alicante, seguía dirigiendo la Falange, sobre todo a través de sus enlaces de la Sección Femenina. Pilar estaba amenazada de muerte por el asesinato de la comunista Juanita Rico: «Dieron en decir que en el grupo que mató a Juanita Rico iba una mujer y que esta mujer era yo. Era mentira y muy gorda porque la Sección Femenina jamás intervino en las luchas callejeras; eran demasiado hombres, los hombres de la Falange para meternos a nosotras en estos menesteres. Y yo, por mi parte, he sido incapaz en mi vida de manejar un arma.»

Por otra parte, la admiración que sentía Pilar por el Jefe no fue correspondida con igual entrega por su hermano, que se limitó a ordenarle: «Vete de casa, porque a ti te matan.» Pilar deambuló por las casas de amigos y camaradas. Sola. Temerosa. Sólo Calvo Sotelo, ministro del dictador Primo de Rivera haría una defensa de Pilar en el Parlamento contra la acusación de ser la autora de la muerte de Juanita Rico.

La figura de Juanita Rico será aprovechada por los comunistas como una víctima de la Sección Femenina, mientras que la Sección Femenina tendrá la suya en manos de los Comunistas. Era María Paz Uncitti: «María Paz fue asesinado por los rojos a los 18 años de edad. Cayó en acto de servicio, ya que fue sorprendida cuando buscaba refugio para un camarada.» María Paz había organizado en el Madrid rojo del 36, clandestinamente, el Auxilio Social, también conocido como Socorro Azul. Fue fusilada en las tapias del cementerio de Vallecas.

Entretanto José Antonio tomaba contacto desde la cárcel con los tradicionalistas, con el general Mola y con el teniente coronel Yagüe y entregaba su mandato a su hermano Fernando... hasta que éste también sería detenido un 12 de julio. En la misma madrugada Joaquín Calvo Sotelo era asesinado por los Guardias de Asalto, servidores, por entonces, del Gobierno. El 17 de julio sería el día clave para José Antonio y su Falange, que por fin se uniría a la rebelión de Franco.

En 1969 Pilar elevaba al Consejo Nacional del Movimiento un primer «espíritu» del 12 de febrero. Era su informe sobre la Sección Femenina, en el pasado, en el presente y en el futuro: «... Que desde hace tiempo hubiera sido preciso que la mujer estudiara, que la mujer trabajara como un ineludible deber de aportar su esfuerzo al bien común y mejorar la cultura en su propia persona; indudable que debiera haber empezado mucho antes, venciendo las resistencias arcaicas y rutinarias que ahora la Sección Femenina, en servicio a una mayor justicia social, estamos venciendo en España con la Ley de los Derechos de la Mujer que abarca a toda clase de trabajadoras y a las universitarias...»

«... Porque no es lo mismo la mujer casada con la responsabilidad fundamental de hijos menores y marido en casa, o la viuda con hijos menores también, que la viuda o la casada sin hijos... y ya no digamos de la soltera, que es libre del todo.» Pilar hacía balance de su obra. A un total de 297.743.503 pesetas se elevaba el presupuesto de la Delegación Nacional de la Sección Femenina en 1968 quedando establecido un envidiable organigrama que no obtendría, hasta la llegada del Opus Dei al poder, ningún otro partido: Escuelas Nacionales, Colegios Mayores, Granjas-escuela, Centros de Enseñanza Media, talleres de artesanía, Escuelas de Hogar, albergues, residencias, prensa y propaganda, ediciones (*Teresa* y *Bazar*), los Círculos Medina, Escuelas de Formación profesional, talleres, los Coros y Danzas, Deporte, Asistencia social, escuelas de ATS, Cátedras Ambulantes... y un larguísimo etcétera constituía la enorme red, perfectamente elaborada, de la que disfrutaría la Sección Femenina para formar a las mujeres de la España del franquismo.

Éste sería el pago que el Caudillo le retruibuiría a Pilar, en recuerdo del primer homenaje y de la ofrenda de las mujeres españolas que se habían puesto a su disposición en una gran concentración en Medina del Campo «al pie del castillo de la Mota» (en recuerdo de la reina Isabel la Católica que, con Santa Teresa, serían las dos patronas emblemáticas escogidas como ejemplo para la Sección Femenina). Aquella concentración, inmediatamente después de terminada la guerra, constituiría todo un acto de homenaje y sumisión de las mujeres al Caudillo y al Ejército.

Es de suponer que Pilar, tan estrechamente vinculada, a través de su hermano, al fascismo italiano de Musolini y al nazismo de Hitler, había aprendido con creces toda la parafernalia de preparar a las juventudes. Juventudes femeninas en su caso, a las que entrenaría como a los muchachos del Frente de Juventudes. Como muestra, la ofrenda al Caudillo en el Castillo de la Mota consistió en una exhibición de educación física: un conjunto de muchachas ataviadas con sus trajes regionales, llegadas de todas las provincias; y una ofrenda de frutos de todas las regiones españolas. Todo ello unido al solemne acto de gran emoción: el paso de las flechas que habían cumplido los 17 años a las filas de la Sección Femenina.

«Ahora, mi general, éstas son las Secciones Femeninas de la Falange, las que acudieron desde el principio de la guerra, en número de más de 400.000, a prestar sus servicios voluntarios en el Auxilio Social, en hospitales, en los lavaderos de los frentes, en el campo y en todos los puestos en que la Patria reclamó su presencia...»

A lo cual el Caudillo por la gracia de Dios respondía: «... no acaba vuestra labor con lo realizado en los frentes, en vuestro auxilio a las poblaciones liberadas, vuestro trabajo en los ríos, en las aguas heladas lavando las ropas de vuestros combatientes... Tengo fe en vuestra obra. Yo os ayudaré. Yo haré que en este vetusto nido (Castillo de la Mota) se forje la primera escuela de la Sección Femenina, donde se preparen las mujeres al conjuro y al recuerdo de aquella reina ejemplar, de aquella española suprema que marcó de un modo indeleble los caracteres de España». A partir de aquel momento el Castillo de la Mota iba a ser la escuela matriz de la Sección Femenina... hasta que Pilar, como es sabido, recibiera más tarde el título de Condesa de la Mota.

Sin embargo, los diversos gobiernos de Franco poco a poco se iban desentendiendo de los principios fundamentales del Movimiento. El momento clave de la escisión entre la Falange y el Gobierno fue cuando éste decidió, en 1957, el traslado de los restos mortales de José Antonio desde El Escorial al Valle de los Caídos a causa de unos motivos ocultos, se dijo, de los partidarios de la monarquía. El Escorial estaba destinado a los reyes y las casas reales. A desgrado de muchos falangistas, José Antonio fue trasladado al Valle de los Caídos. La Falange masculina ya había perdido su fuerza, en parte por la deserción de algunos de sus miembros de primera hora más destacados: Dioniso Ridruejo, Laín Entralgo, Tovar... Sólo la Sección Femenina resistiría, a pesar de la entrada de los políticos del Opus Dei —los llamados tecnócratas— en el gobierno.

Pilar insiste: «... Hemos intentado hacer una España más ágil, más limpia, más veraz, más bella, más justa... y la mediocridad nos va pudriendo; no conseguimos romper con las losas agobiantes de la vulgaridad y el estancamiento. No han querido o no han sabido entendernos la mayoría de los españoles apegados a sus rutinas o a sus rencores...»

En el consejo del Castillo de la Mota, en 1958 Pilar y sus camaradas se plantearon seriamente la oportunidad de continuar o de abandonarlo todo. Pilar incluso presentó su dimisión a Franco, aunque éste no la aceptó. Luego siguió adelante, a pesar de sus desencantos y de su cansancio hasta que en el año 1973 conseguiría un hito trascendental para la mujer española de la España de

Franco, aunque nadie reconociera su importancia. Fue la reforma del Código Penal en el que se dictaminaba la *pérdida de la nacionalidad española de la mujer al casarse con un extranjero; la patria potestad que convertía al marido en señor y juez de cuanto hacía la mujer y sucedía en la casa; y la derogación de la licencia marital ya que la mujer, al casarse, quedaba incapacitada para comprar o vender lo que le pertenecía por derecho propio. Se daba el caso de que una mujer pudiera hacer todas estas operaciones de soltera, por ser mayor de edad, y al casarse perdía esta mayoría de edad.*

«Esto demuestra —escribe Pilar en sus memorias— cuán equivocados están los que creen que es a partir de 1975 cuando se ha empezado a hacer algo por la liberación de la mujer, o que la Sección Femenina se ha limitado a preparar a la mujer para sus deberes familiares... Sólo el haber conseguido estas leyes debería ser suficiente para reconocer los esfuerzos de la Sección Femenina para apoyar en toda su integridad los derechos de la mujer.»

Hay que señalar que la Sección Femenina pudo llevar a cabo su *andadura* porque le fue entregado inmediatamente después de la guerra el mando sobre la educación de las niñas y el control de las mujeres en general. Mientras en la Falange se producían diversas disensiones como las aludidas de Laín, Ridruejo, etc., a la vez se creaba la nueva FE. de las JONS (auténtica) y proliferaban los diversos círculos de José Antonio. Podría afirmarse que, tras la vuelta de la División Azul, la Falange creada por Franco resultaría obsoleta en el país. Nos hallamos, pues, en el momento cronológico en que, tras tres años de guerra España sangra, se desangra. Tal vez por ello el Caudillo decide no intervenir cuando estalla la segunda Gran Guerra. Prefiere dedicarse a imponer su particular Dictadura en un país de vencedores. Y de vencidos. Porque no todos y todas los que fueron vencidos pudieron escapar de las garras del General. A éste poco le importaban los que habían conseguido escapar. Los tuvo primero a buen recaudo en los campos de concentración franceses y, luego, voluntariamente o a la fuerza, integrados en la II Guerra Mundial. Los que no habían muerto ya en la gran escapada y en los campos franceses, morirían en la guerra europea contra Hitler y Mussolini.

Aquí, al margen de los vencidos en las cárceles o huídos dentro de sus propias casas, dispersados, callados entre una multitud triunfante, pasarían largos años de «Cara al Sol», de Auxilio Social, de racionamiento, todo ello al compás de la nueva canción española, los toros y el Real Madrid.

Poco se supo aquí, tras la victoria franquista, de lo qué ocurría en el exterior. La gente que podía saber, que sabía, estaba tan asustada, tan machadada, que poco importaba una nueva guerra que estallaba justo al final de la nuestra. Lo máximo que se podía oir, por parte de quienes podían hablar por los codos, eran los cínicos comentarios sobre la mala suerte de muchos españoles por entrar en una nueva guerra.

Aquí, tanto entre los vencedores como entre los vencidos, cada cual con sus privilegios y su miseria, la supervivencia era lo único que importaba. Pan negro, chinches, barracones, las cárceles atiborradas, las largas colas de los amigos y familiares para volver a ver y a tocar a los desgraciados que se encontraban tras las rejas de Franco. Los vencedores en cambio empezaban a ocupar los primeros puestos en la administración, en las fábricas, en la industria, en el comercio. Franco, Caudillo por la gracia de Dios, con la Iglesia conchabada con el nuevo régimen, proseguía impunemente con su enloquecido exterminio del enemigo.

El pueblo enemigo del régimen, asustado, embrutecido por tanto sufrimiento, quería ser salvado a toda costa. El fantasma de las depuraciones, los paseos en el Campo de la Bota y tantos otros campos tapiados (la tapia era un símbolo perenne del terror que existió durante tantos años en el país), la guerra sucia del Caudillo, eran las únicas obsesiones que dominaban a aquellos cuerpos y almas destrozados que no pudieron, no quisieron o no supieron ponerse del lado de los vencedores.

La década de los 40 fue la del hambre y las enfermedades y el enriquecimiento urgente del estraperlo[1].

1. «Un día —en 1955— un albañil que trabajaba en casa me pidió permiso para faltar una tarde. Enterraba a su hija. Le pregunté de qué había muerto y me contestó secamente: "De hambre". ¡Chiquillo, descubrí que la gente se moría de hambre andando por la calle!» —le

Las depuraciones estaban en el orden del día y el miedo a *la secreta* llenaba de paranoia a cualquiera que, aunque no se pronunciara, no se sintiera adicto al régimen. Los toros se convirtieron en el espectáculo nacional, con sus famosas corridas de Beneficencia y, en Madrid, las clases dominantes, los artistas, los toreros y hasta las prostitutas de postín se reunían en Chicote. Mientras, los consejos de guerra sumarísimos se anunciaban a diario desde la prensa y el pulso del dictador no temblaba al «darse por enterado» de las sentencias de muerte.

El NODO y algunas películas tendenciosas servían de propaganda implacable y manipuladora para el pueblo. *Sin novedad en el Alcázar* y *Raza*, de Jaime de Andrade (seudónimo del propio Franco), *Nobleza baturra*. Todo pura obscenidad. A los escolares se les rapaba el pelo en la lucha contra los piojos y se les obligaba a cantar el Cara al sol. En los teatros el país que podía pagarlo disfrutaba y se enajenaba con la *vedette* argentina Celia Gámez y la folklórica Conchita Piquer, que se arrimaban al carro de la jaca que galopa y corta el viento. Manuel Rodríguez *Manolete* moriría en plena euforia franquista, en 1947. El gobierno se ocupó muy bien de que aquel suceso conmocionara a todo el país.

confesaba la Duquesa de Medina-Sidonia al periodista Eliseo Bayo en la «Gaceta Ilustrada» (abril 1976).

MUJERES

Portavoz de las mujeres antifascistas

Año I — Madrid, 1 de mayo de 1936 — Número 3

Primero de Mayo:

Pan para nuestros hijos, alegría para nuestro hogar!

Colaboradoras de «Mujeres»

DOLORES IBARRURI «PASIONARIA»
MARGARITA NELKEN
ILSA WOLF
ENCARNACION FUYOLA
AURORA ARNAIZ
LINA ODENA
EVELINE KAISH
EMILIA FAGNON

15 cts.

Las mujeres antifascistas llaman a las mujeres a manifestarse por el pan y el trabajo. Todavía no han entrado en la guerra.

Página 4.—Miércoles 28 septiembre 1932

El Jefe del Gobierno

El señor Azaña, que asistió en Olympia a una representación de «Terra baixa», visita a Margarita Xirgu y a Enrique Borrás

La República siempre estuvo atenta a la cultura. Azaña y Margarita Xirgu, un símbolo irrepetible.

En el deporte se revelaron figuras extraordinarias: Lilí Alvarez fue la gran tenista de la República. (foto Colita)

La escritora Mercé Rodoreda me escribía dolida desde el exilio: «Lo que quiero es olvidar».

«A mí siempre me ha dado tristeza ver a la mujer en ejercicios de hombre», decía Pilar Primo de Rilvera, incongruente.

Afiliarse a la Sección Femenina de Falange constituyó la continuidad de la atávica emulación al hombre.

A las casadas o viudas se les privó de los beneficios de las solteras porque «estas son libres del todo» (Pilar, 1969)

La gobernadora y la Delegada Provincial de la S.F. de Girona recibiendo el trofeo de sus flechas azules.

En un albergue del Servicio Social se recuperan los bailes populares. (Valls, fotógrafo, el SEU femenino en Tossa de Mar).

El uniforme representaba para las muchachas una afirmación del estatus familiar.

Aquellas mujeres, escondidas y camufladas durante la guerra, recuperaban su aliento.

O casarse o hacerse monja. No todas cayeron en la sumisión del matrimonio (foto Colita)

En el momento de repartirse el pastel de la victoria muchos y muchas no probaron bocado.

Durante el Congreso Eucarístico celebrado en Barcelona, la miseria fue miserablemente borrada de la ciudad. (Foto Europa Press)

Las niñas con sus «poupeés» (foto Colita)

Los niños con sus aviones (foto Colita)

Carmen de Icaza, la novelista sentimental del régimen

…ero diario a su
…ñar sus pechos
…l color del tre-
…r ver los trági-
…a e incluso por
…a identidad de

…a biología em-
…ya no tiene gas
…a. Desaparecerá
…sa con bola de
… despejar incóg-
…con los inquili-
…a del árbol ge-
…Carmen Flores;
…doméstica; para
…dió un *mal* a la
…qué de su em-
…ros en una bol-

…terón de san-
…venosa.
…aparecido. Se
… se guardó
…liegue de su
…ol, al que he-
…ar artístico y
…uilera, que le
…s regalándole
… para Améri-
…con el que se
…s en Sevilla. Y
…Cooper y mu-
… 50. Pero a la
…una corte dis-
…apología con
…do.

mi madre-madre. Mi prin…
ella es, vestida con una…
tando *La zarzamora*." Hasta…
lita viajó en volandas pre…
cos de sus mantones, si…
de una constelación de m…
de tramoyistas y besama…
ha sido muy cariñosa, per…
con sus hijos. No ha sid…
drastrona que nos ha baña…
tido y nos ha sacado a p…
tope media hora y lue…
quería volver a su paz, a…
garrillo y a hablar con s…
lita medita unos instantes…
su faceta maternal más b…

Arriba, el 'torbellino de colores', como la bautizó Pemán. A la derecha, en 1957, el día que atrapó a 'El Pescaílla', gitano de Grácia, la última cuenta de un rosario de amoríos. Abajo, en la *película 'Pena, penita, pena'*.

había fiesta en…
vergüenza cu…
bailar, pero…
tampoco me…
cuando lo ha…
aunque le agr…
procurado…
exenta de polí…
fe. "En casa…
sido un perso…
por otra parte…
cho falta lec…
porque aprend…
mana."

El teléfono…
ingenio que…
muchos a…os…
desde cualqui…
neta hasta su…
no estaba físi…
…rmaneciend…

El cuplé ha muerto. ¡Viva el folklore! «La Faraona» o el torbellino de colores, a decir de Pemán.

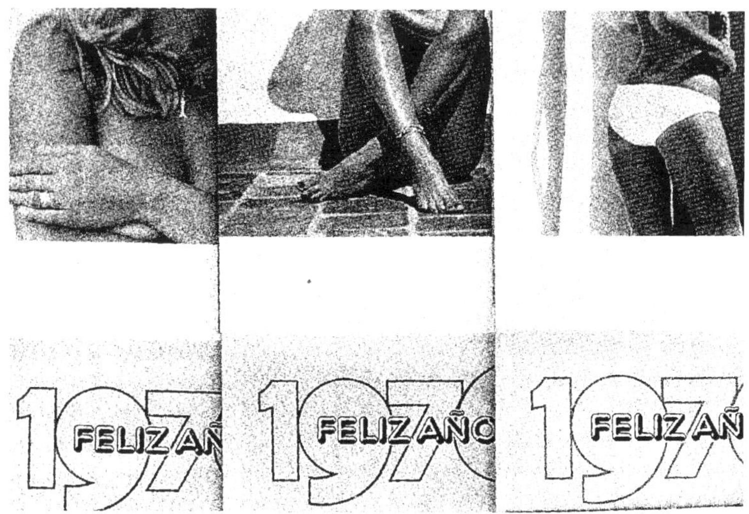

La represión sexual estalla y el pais comienza a desnudar de nuevo a la mujer.

Clasificadas «S». La grosería machista ataca (Foto Kim Manresa)

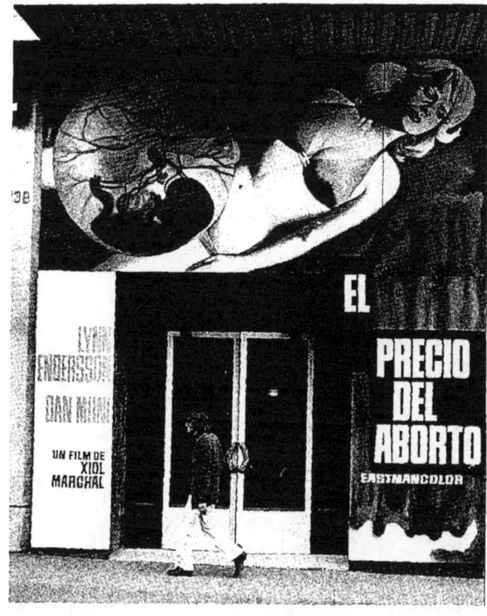

El objeto del deseo de los hombres inunda las pantallas (Foto Colita)

La cultura del Caudillo: las revistas del corazón colmarán la incultura del pueblo.

Pasionaria: Ni ella escapó a la utilización de todos sus enanitos.

Antonina Rodrigo: un largo y duro esfuerzo por recuperar a las «mujeres silenciadas».

V

ENTRE LA MISA Y EL «CARA AL SOL»

1945. Recuerdo a mi hermana mayor, querida Montserrat, saltando y brincando por los pasillos de mi casa de Girona: «El año 45 / viviremos, comeremos, reiremos / en un mundo de ilusión...!!!» Ante mi perplejidad seguía enardecida: «Tengo una vaca lechera / no es una vaca cualquiera / mata moscas con el rabo... / tolón, tolón.» Yo me caí, huyendo de ella y me rompí un diente.

La Guerra Mundial había terminado. En las casas más o menos burguesas, aquellos días se vivieron como una auténtica liberación. Era el gran alivio. Una renovación de la ilusión por salir de la miseria del pan negro y del racionamiento. Poco a poco, con la importante ayuda del estraperlo, quién más quién menos va recuperando la economía doméstica. Los comerciantes se hacen de oro y aparecen por la ciudad los «Haigas», coches de último modelo americano pasados por la frontera de contrabando. Se han conchabado las fuerzas del orden con los que quedaron del bando vencedor. Y todos con la Iglesia. Las niñas de estas familias serán educadas en los colegios de monjas, los colegios de «pago», como seguía diciendo la expresión popular. Y las otras, las pobres, las hijas de los vencidos, o de los que no quisieron o no pudieron subirse al carro de la exaltación nacional, aprenderían en las escuelas nacionales. Sin uniforme, por supuesto; sin los cuellecitos de puntillas y sin la hebilla y el escudo de plata de las del Corazón de María, de las Esclavas, las del Sagrado Corazón, las Damas Negras, las Escolapias, las Carmelitas, las Dominicas. Arrancados sus hábitos a la fuerza por los «rojos», las monjas volverán a vestir sus impecables tocas blancas, sus baberos almidonados, sus vestidos de amplios pliegues hasta los pies, sus rosarios de plata. En las Escuelas nacionales, las niñas pobres no tendrán ni un mal himno que cantar a sus santos. Acaso la «Internacional» a escondidas. Sólo el Cara al Sol del mediodía a pleno pulmón. En los colegios de monjas se acogerá a un número determinado de niñas pobres, más como criaditas que como alumnas. Alguna burguesita comienza a barruntar. En cuando se empieza a comprender la letra de lo que se canta en los patios: «Gloria, gloria, al padre, José de Calasanz. Para los pobrecitos alzó la escuela-templo / Cantaadle / cantaadle / cantaaaaadle!

—Madre: ¿para los pobrecitos?

—Sí, hija. Para los pobrecitos como María, como Isabel, que ahora mismo están haciendo tu cama».

En aquel año, 1945, nos reuníamos algunas compañeras para comentar el mal gusto de los vestidos que llevaban las alumnas «domésticas» y las de las escuelas nacionales. Sería porque ya nos había invadido la estética nacional sindicalista de los desfiles en el NO-DO, de los chicos con su camisa azul y su chaqueta blanca que paseaban en grupos por las calles flirteando con las alumnas de los colegios de monjas. El uniforme representaba para las chicas una reafirmación del estatus familiar, la demostración de una riqueza de pan blanco, de arroz y azúcar de estraperlo. Del veraneo mitad en el mar, mitad en la montaña. De la participación en las procesiones del Corpus y en los Viacrucis de Semana Santa. Todo ello, además de una enseñanza estricta, severa y disciplinada. Una garantía en suma para un régimen al que no se le podía descarriar aquella infancia y aquella juventud destinada a la ignorancia política más total. Para reforzar esta voluntad de los franquistas ahí estaban las familias, los padres, las madres, abuelos y tías, a quienes nunca se les oyó pronunciar la palabra guerra civil. Unos por el terror que todavía llevaban en el cuerpo, otros porque comenzaban a vislumbrar el gran error de haberse puesto al servicio de una dictadura impensable. Los más porque durante años creerían que Franco había salvado a España de caer en manos de la rojería salvaje y del sanguinario Stalin.

Es el momento en el que la imaginería religiosa recupera toda su influencia. Es el tiempo de las estampitas, de las capillitas de la Virgen que alguien traía todos los lunes a las casas para que se rezara el rosario en familia y se depositaran en una ranura las monedas ahorradas para ayudar a los pobres. Es el momento en que las más pudientes se compran sus rosarios de plata, sus libritos de misa de nácar, los crucifijos de las joyerías, tan grandes, tan grandes, como el que pende del rosario de la Madre Superiora. El culto a la joya religiosa alcanza el máximo éxtasis cuando, en la comunión, tras la patena de oro, el cáliz de piedras preciosas, besas el rubí del obispo para que te perdone con sus indulgencias. La manipulación mental está perfectamente estructurada y más del setenta por ciento de las niñas de la época querrán ser, cuando sean mayores, madres superioras.

La madre superiora, por su parte, o la jefe de estudios, o la sor de las labores, se tomarán muy en serio su tarea: hacer que sus alumnas nunca puedan caer en la trampa de la duda, de las indecisiones, de las contradicciones. Que algunas de sus favoritas, las más inteligentes, no empiecen a plantearse la peor pregunta: «Pero, madre, ¿Quién es Dios?» Sesiones aparte, suaves toqueteos, castigos placenteros formarán todo un compedio de seducción que se va a traducir en el inicio de una homosexualidad insconsciente, prefiero creer que por ambas partes. Lo cierto es que en todos los cursos habrá alguna demasiado débil o demasiado inteligente que se dejará arrastrar por el peligro de la curiosidad. Y ahí estarán, a su alrededor, como el león rugiente, las monjas dispuestas a devorar al demonio. Y la curiosidad reclama atención, una atención muy, muy especial, según de qué alumna se trate. Y la atención crea hábito. Y crea adicción. Y crea mono. Y crea enamorarse. Si las mujeres que han pasado por los colegios de monjas se sintieran hoy libres como mujeres pensantes, ¡cuántas no confesarían haberse enamorado de una madre superiora!

A muchas, que nadie, ni en nombre de nada, pretenda arrancarnos el recuerdo de aquellos momentos del rosario de las seis de rodillas en la Iglesia, con las voces del gregoriano cantando el Veni Creator en el coro y con el tintineo del escapulario de la madre superiora justo a tu espalda...

Por desgracia, no se ha hecho un estudio desapasionado sobre quiénes eran aquellas mujeres vestidas de monja, salvo en los órganos internos de sus propios conventos. Pero, por una vez, siento la ineludible responsabilidad de hablar sobre unos colectivos, con referencia a los años sobre los que estoy escribiendo estas líneas. La educación de las mujeres de mi infancia y de mi juventud no son páginas en blanco. Ni un tatuaje que se llevó el viento. Con independencia de las persecuciones y ciertos errores de bulto cometidos contra ellas por los antifascistas, aquellas mujeres que habían permanecido huídas y escondidas durante la guerra civil regresaron, recuperado el aliento, a los conventos para cumplir su mandato divino: la educación de las niñas. Hay que decir que muchas de ellas habían respondido a «la llamada de la vocación» porque nadie les hizo otra llamada más atractiva. Por lo general, en los hogares de aquellas mujeres su destino ya estaba decidido por unas crueles reglas sociales. El primogénito era el heredero nato del negocio familiar o, si no, el elegido para estudiar una carrera. Las hermanas del heredero debían casarse, o permanecer solteras bajo la tutela paterna para pasar el resto de sus días al cuidado de los padres viejos, de los hermanos más pequeños y, en su madurez, hacer de «tieta». Las más feas, o las que no se sometían a unos casamientos con frecuencia plagados de intereses de familia y siempre convencionales, practicarían un escapismo salvador atendiendo la llamada de Dios. Con frecuencia, y según cómo se mire, eran las más tontas de las casas o las más listas, creo yo, al no dejarse convencer por la rutina del destino que se les venía encima. Entrar en un convento, en cambio, consideraciones místicas aparte, significaba una cierta libertad de elección. El hecho de sentirse elegidas por Dios significaba el primer encuentro consigo mismas como personas. Liberadas de las cargas familiares, liberadas de la obligación social de ser esposas y madres y adictas a la virginidad por simple rechazo a los hombres, encontraban en la praxis de la religión su propio camino.

Todas las congregaciones estaban compuestas por

una mayoría «de tropa» (Escrivá de Balaguer), que eran las encargadas de hacer las faenas más duras —portería, suelos, cocinas y barridos— y las que por sus estudios o por sus dotes personales destacaban con brillantez dentro del grupo. De inmediato, pues, quedaba instituída una jerarquía en la que destacaba el mando de la Superiora, las Jefas de Estudio, y tras ellas las sores y las hermanitas.

Hubo otros dos grupos importantes de mujeres-monjas. Las dedicadas a la meditación (llamadas de clausura) y las que, para su desgracia, a principios de la «salvación» de España por el dictador, fueron enviadas a las cárceles de mujeres (embrutecedor destino) o a dirigir unos conventos muy especiales que se ocupaban de las presas que tenían pocos cargos en su contra pero que de alguna manera habían colaborado con sus compañeros en la guerra civil. Recuerdo de forma especial el convento de las Adoratrices de Girona. Allí estaba retenida mi prima María Culla, cuyo compañero había sido fusilado. Todos los domingos, de la mano de una abuela piadosa, íbamos a darle los restos de comida que habían sobrado de toda la semana. Recuerdo su mirada de odio contra mi abuela y recuerdo que, cuando muchos años más tarde nos reencontramos en Barcelona, en nuestra conversación sólo un nombre estaba prohibido mencionar: el de mi abuela.

Pues bien, dejando aparte las monjas de clausura y las monjas represoras de las cárceles, cuya crueldad frecuente ya han relatado mis protagonistas antifascistas, sólo me referiré a las que educaron a varias generaciones de niñas y jóvenes a unos niveles intelectuales y mentales bastante aceptables. Mi madre superiora de las Escolapias de Girona era una mujer ilustrada, lectora apasionada de vidas de Santas y creo que una tímida y escondida poeta. Solía leernos a Teresa de Jesús, cuyo talante literario, pretendidamente sencillo y coloquial, denota sin embargo su intención de ahondar en lo que fueron los amores de esta excepcional mujer hasta encontrar en Jesucristo su amor definitivo. Por otro lado, la importancia que tuvo en su época queda evidenciada por la cantidad de correspondencia, entrevistas y conversaciones con las grandes personalidades de su tiempo: Felipe II, San Juan de la Cruz, la princesa de Éboli, el duque de Gandía y San Pedro de Alcántara... Teresa entraría de lleno desde su convento y a través de sus andaduras en el marco histórico de un siglo portentoso. Por otra parte, por encima de las luchas fraticidas entre los frailes del Carmelo, campeó la personalidad de aquella mujer enamorada de Dios que consiguió transmitir su pasión al mundo que la rodeaba.

En las lecturas de vigilancia en los comedores, a nuestra madre superiora le gustaba repetir una «redondilla» de Sor Juana Inés de la Cruz:

«Hombres necios que acusáis
a la mujer sin razón,
sin ver que sois la ocasión
de lo mismo que culpáis...
¿Cuál es más de culpar,
la que peca por la paga
o el que paga por pecar?...»

Cerraba el libro con sumo cuidado y fijaba su mirada intensa en todas nosotras. Luego, su mente se alejaba en sus recuerdos.

—A ésta la violaron los «rojos».

—Yo sé de buena tinta que fue su padre y que por eso se hizo monja... Para huir.

En el recreo ella era nuestro tema de conversación favorito. Era una mujer hermosa, alta y pálida. Atractiva. Muchas nos habíamos enamorado perdidamente de ella.

VI
LAS MANDONAS CONTRA LAS MONJAS

En medio de esta especie de oasis en la «paz» a las monjas les surgiría un enemigo solapado e inesperado: la invasión de las chicas de Pilar en los colegios, en los Institutos. Las monjas aceptaron con desagrado aquella intromisión. Rivalidades de sexo.

Ni a los derrotados ni a los vencedores les agradaban las «mandonas» de Falange. Las ciudades habían tenido que soportar la insolente presencia y la chulería de los falangistas en lo inmediato del franquismo. Tras los primeros años de terminada la guerra, aquellas bandas de jóvenes del Frente de Juventudes se paseaban por las calles y su sola presencia hacía cambiar de acera al transeúnte. La mayoría no habían hecho la guerra directamente pero llevaban en sus rostros, en el porte, en el espectacular uniforme, el estigma del terror, de un recuerdo que casi todo el mundo se esforzaba por borrar.

Pasados los primeros años del intenso fervor religioso que había atrapado de repente a los españoles de la España nacional, lo que la mayoría quería era olvidarse de la pesadilla de la guerra y de la inmediata postguerra. Alzar la cabeza y llenar los estómagos. Si para ello había que cumplir con uno de los rituales obligados de ser «de misa y comunión diaria», se era. La Iglesia católica aparecía solidamente establecida en el bando de los vencedores. Habían comenzado bien con la primera semana de la *paz* que coincidía con la Semana Santa y fue impresionante el despliegue público de fe, esperanza y caridad.

En todas[1] las provincias recién *liberadas* las mujeres agarraron sus viejos misales y los rosarios, se colocaron las mantillas y se echaron a la calle en honor al más alto acto de fe que jamás se había conseguido en el país. Los que nunca antes del 36 habían entrado en una Iglesia, aprendieron la compostura con urgencia. En las grandes capitales, sobre todo en Madrid, se celebraron numerosas misas de campaña y en la mismísima Puerta de Alcalá de Víctor Manuel y Ana Belén tuvo lugar, el 9 de abril del 39, una solemne misa pontifical. La Puerta lucía un inmenso haz de yugos y flechas y por encima el Cristo mutilado de la parroquia de San José. El obispo Eijo Garay ofició de sumo sacerdote mientras su Excelencia el Generalísimo le decía a Carmen por los bajines: «¡Jo! Mira que Azaña decía que España había dejado de ser católica!» A algunas buenas gentes de las que se salvaron de la tragedia les había llegado el momento de cumplir sus promesas hechas a los santos, «si salvaban su vida y la de los suyos». Así que algunos hombres dejaron de fumar unos días y muchas mujeres vistieron hábitos morados sacrificando sus modelos primaverales. Se estaba creando a base de una rápida y eficaz propaganda la sensación de que era cierto que la España católica era realmente la *reserva espiritual* de Occidente. El cardenal lo reafirmaría sin sonrojos: «Dios ha hallado en V.E. digno instrumento de sus planes providenciales sobre la Patria.»

Al ambicioso y oportunista general toda aquella parafernalia le iba como anillo al dedo. Alentó la creación de las famosísimas *misiones*. Sacerdotes y frailes se desplazaban a las provincias y a zonas rurales sembrando el pánico con mil culpabilidades y redimiendo a los pecadores. Algunos tenían una oratoria brillante y agresiva que encandilaba a la juventud de uno y otro sexo. Las procesiones, los rosarios de la aurora, el viacrucis, las visitas a

1. «Franco I, el Piadoso», le nominó Pla y Daniel, el obispo de Salamanca. Franco había cumplido con la Iglesia: «La Guerra de España —había dicho en el Congreso Eucarístico de Budapest, en 1938— hay que acabarla, pero con la rendición de los rojos, que son los vencidos. No hay otra pacificación que la pacificación por las armas.»

monumentos los jueves y viernes de Semana Santa, eran la vida cotidiana de los nuevos piadosos. Para coronar una de las más sucias manipulaciones que se perpetraran jamás contra un pueblo ignorante, hambriento y aterrado, proliferaban los *Ejercicios Espirituales*. Eran tandas de meditación, lecturas de santos y de silencio. Como escribía Vizcaíno Casas en *Mis episodios Nacionales*: «El entusiasmo por eso de los ejercicios espirituales alcanzó elevadas cotas y los hacían los altos dignatarios de la nación lo mismo que el personal Auxiliar de la Administración, los militares, las chicas del servicio doméstico, los obreros de las fábricas, los reclutas y, ni qué decir tiene, las colegiales, los universitarios y los propios sacerdotes...» Los jesuitas y dominicos llevaban la mejor parte, rivalizando con su oratoria amenazante y represiva. Fue uno de los más famosos el padre Laburu, que llenaba las iglesias al completo y aterraba a sus fieles con sus minuciosas descripciones del infierno. El país levitaba, se había vuelto loco. En 1952, en la celebración en Barcelona del *Congreso Eucarístico Internacional*, sólo una minoría de los vencidos se quedó en sus casas, escondidos, maldiciendo. Pasmados.

Aquel hombrecillo ambicioso, neurótico, cruel, marcado por la figura de su padre y por su paso por la Legión, había conseguido afincarse en su sillón de mando utilizando al Ejército en su favor, a los falangistas, a los carlistas, a los monárquicos y a los católicos de derechas. Hay que otorgarle el beneficio de su habilidad para conseguir que todos ellos, por miedo, por fervor y por oportunismo mantuvieran calladas sus discrepancias. Pero eran demasiados. Y cuando llega el momento de repartir el pastel Franco se queda con los más útiles, los más poderosos: la Iglesia y la Falange. (Hay que subrayar que su interés por la Falange era de pura conveniencia; ya después de la muerte de Primo de Rivera fue él quien se erigió en el jefe autodesignado del único partido, con la unificación de FET y de las JONS. Su miedo atroz a los políticos que siempre podrían poner en discusión el poder militar quedaba de esta forma conjurado.)

Adoptó todos los símbolos y la estructura jerárquica de la Falange, observó sus ritos y utilizó a los falangistas para los grandes montajes de los multitudinarios actos de propaganda del régimen. Con esta aparente «unión» político-militar con la Falange y su propio gobierno se ganaba de paso la simpatía de Hitler y Mussolini. Terminada la guerra mundial con la derrota de los dos dictadores fascistas, Franco se apresuró en quitar a los falangistas del escaparate. Sin más. De un plumazo. Aunque, como premio, porque aún les necesitaba, dejó que la Falange estuviera al frente de lo que él mismo bautizaría con el nombre de El Movimiento. Por fin había conseguido borrar del mapa de España la palabra Partido tan nefasta para sus sentimientos apolíticos. Así quedaba para ellos la parte que tan poco le importaba al Dictador: los sindicatos (verticales), las organizaciones juveniles de hombres y mujeres, la red de prensa y propaganda. Franco y la Falange convivirían durante cuarenta años con el objetivo común que se inició en el Alzamiento: su lucha contra la democracia. Una vez más, la traición sería el concepto más sagrado, el único sentimiento humano que anidaría y persistiría en su cuerpo inhumano, en su alma desalmada. Liquidado y olvidado el enemigo que más temió ya en la preparación de «su» Alzamiento, podría apropiarse con toda impunidad de su pensamiento. El líder innato sólo le fue útil a Franco en su muerte. Porque embarazoso e incómodo habría sido José Antonio de haber sobrevivido a la contienda y sobre todo después de la guerra.

Sin demasiado temor a equivocarme y tras una lectura minuciosa de los textos del Jefe de la Falange, es fácil deducir el enfrentamiento que se hubiera producido entre «El Ausente» y aquel hombrecillo de pocas letras y muchas guerras, aquel «¡Franco! ¡Presente!». Por mi parte mi limito a preguntar: ¿qué hubiera sido de aquella España negra franquista de haber vivido José Antonio? Con seguridad otra cosa. Con seguridad menos híbrida. Para esta osada opinión me remito tan sólo al recuerdo de unos hombres falangistas que brillaron por su propia inteligencia: Dionisio Ridruejo, Tovar, Laín Entralgo, Luys de Santa Marina, Mercedes Fórmica, Carmen de Icaza y un largo etcétera, a fin de cuentas también pasados por el abismo del olvido. Sus numerosos textos, cartas y apuntes fueron secuestrados o quemados por los rojos y «en exceso» bien protegidos.

Franco y la Falange. Y la Iglesia. A pesar de que los falangistas nunca destacaron por ser demasiado piadosos y que por su parte a la iglesia no le gustaba nada competir con la política, se tuvieron que soportar a la fuerza. A Franco, con la Falange bajo su bota, sólo le faltaba, para la consolidación de su poder, lo que sólo el Vaticano podía otorgarle. Y se lo otorgó.

El Congreso Eucarístico de 1952 y el Concordato con la Santa Sede, en este mismo año, sería el momento de mayor exultación para aquel hombre chaquetero, católico, judío o masón. La cruz y las flechas disputarán las fachadas de las catedrales y los despachos de toda la Administración. Por fin obispos y gobernadores se piropean entre sí y todos de acuerdo conceden los más grandes elogios al mesiánico gallego: «Franco por la gracia de Dios», «Espada del Altísimo...». El «glamour» se alargará hasta el inicio de la década de los 60, cuando el Concilio Vaticano II de 1962 representará la consolidación de una Iglesia menos conformista con la política represiva y antisocial de Franco. La nueva savia de curas y monjas jóvenes que no han intervenido en la guerra civil y que leen con fervor a Teilhard de Chardin, el filósofo francés que pone en tela de juicio algunos dogmas de fe, su preocupación por las desigualdades sociales y por su fidelidad a las palabras de Cristo más que a las del Papa, en una palabra, el *aggiornamiento*, todo ello provocará un enfrentamiento continuado del clérigo renovador y social contra el franquismo católico, apostólico y romano.[1]

Naturalmente en toda esta movida del despertar de los católicos contra el franquismo no participará en ningún momento la Sección Femenina de la Falange, consagrada en cuerpo y alma a la educación de las mujeres y a los Coros y Danzas. En realidad, seguirán enfrentadas con las monjas, por el monopolio de la juventud femenina y de las mujeres en general. Formación política en la es-

1. En 1974, el catalanista cristiano Jordi Pujol se refería a la ayuda que los cristianos antifranquistas habían prestado a los militantes marxistas, facilitándoles locales para reunirse y otros favores en los tiempos duros de la lucha clandestina: «Si los comunistas alcanzaran un día el poder, y no pecan de desagradecidos, deberán dedicar un monumento a los católicos españoles y catalanes.»

cuela y de ésta a la universidad, no cejaron en su empeño de adoctrinar a las mujeres en la ideología que se había impuesto en España tras la violenta guerra fratricida. También dominaban otra asignatura obligatoria, que eran los trabajos manuales y la formación del hogar. Impusieron el Servicio Social, que para la mayoría de las mujeres fue considerado como un ataque frontal a su condición de sexo. Era la *mili* de las españolas de a pie. Había que tener cumplido el Servicio Social para sacar el pasaporte o el carnet de conducir. Las más privilegiadas podían hacerlo en internados de la Sección Femenina, como El Pardo, el Castillo de las Navas del Marqués, en Ávila, o en el famoso Castillo de la Mota de Valladolid. Las «chicas de Pilar», como se las llamaba en claro lenguaje machista, los mandos, eran para los hombres una especie de híbrido asexuado o masculinoide. Poco femeninas. Para las mujeres destinadas al noviazgo y al matrimonio también resultaban antipáticas, un modelo nada aceptable de femineidad como correspondía en aquellos tiempos de mojigatería y galaneo. Sin embargo, para un elevado porcentaje de jóvenes representaban un modelo a seguir, sobre todo en el campo del deporte, tan necesario para el desarrollo y conocimiento del propio cuerpo.

En realidad, el asunto de la gimnasia fue un escándalo católico nacional. El empeño que puso la Sección Femenina en la Educación Física de la mujer fue mal acogido por la Iglesia, representada entonces por el Cardenal Segura, que consideraba la gimnasia «escandalosa y lasciva». A lo que Pilar respondía contundente: «La educación física, que no cabe duda que tiene sus peligros, tiene también inmensas ventajas, como son la disciplina colectiva... la afición al aire y al sol...»

«... Tiene además la limpieza que no está reñida con la honradez moral y que, en cambio, es muy agradable para la vida en común. Y el peligro que pudiere haber para las mujeres de que se aficionen a presentarse delante del público con unos trajes que no se acomodan quizás a la moral cristiana, o la cosa, un poco pagana, que tiene en sí de darle demasiada importancia a la belleza del cuerpo, está salvada con una vigilancia constante sobre la indumentaria...» Se inventaron los célebres «pololos», por aquello del pudor femenino, amplios bombachos, que al principio se ponían debajo de las faldas, que luego se exhibieron sin faldas y que al fin quedaron desterrados por unas cortas y plisadas faldas beige que debieron, sin duda, ponerle los pelos de punta al Cardenal de la España Católica.

Guste o no guste, en fin, quienes entraron en la estética de la Falange se salvaron al fin y al cabo de un nacionalcatolicismo dirigido en contra de la mujer. Hay que recordar las palabras de uno de los predicadores más renombrados de aquellos momentos para entender que muchas aprovecharan la oportunidad lúdica de las falangistas. En *La muchacha en el noviazgo* conminaba el padre Enciso: «Ya lo sabes, cuando estés casada, jamás te enfrentarás con él, ni opondrás a su genio tu genio y a su intransigencia la tuya. Cuando se enfade, callarás; cuando grite, bajarás la cabeza sin replicar; cuando exija, cederás, a no ser que tu conciencia cristiana te lo impida. En este caso no cederás, pero tampoco te opondrás directamente: esquivarás el golpe, te harás a un lado y dejarás que pase el tiempo. Soportar... ésa es la fórmula.»

En los colegios las monjas veían a las instructoras de la Sección Femenina como unas rivales. Temían la competencia que se les venía encima. En una supuesta elección entre su mundo de toca y hábito y el de aquellas muchachas deportivas, la mayoría poseedoras de un fuerte atractivo personal, de cuerpos atléticos, tersos, ágiles, las niñas solían quedarse con la Sección Femenina que, aparte, les ofrecía todo un mundo de posibilidades de participación en el deporte hasta entonces usufructuado por los varones. El reclamo era demasiado atractivo: los albergues de verano, las competiciones deportivas y los campeonatos nacionales que les permitían recorrer el país entero sin pagar, exentas además de cumplir con las clases de latín, de matemáticas y del rosario y la misa diaria.

Para alguna, las instructoras de la Falange, de las cuales lo ignorábamos todo, eran el símbolo evidente de la liberación de la mujer. Y me atrevo a añadir que no sólo eran un símbolo sino que les proporcionaban una simbologia en suma muy atractiva: la camisa azul, la falda gris, tocadas con la boina roja y viéndolas en los desfiles por las calles de las ciudades, brazo en alto, despertaban todas las excitaciones secretas del querer desligarse de la mojigatería juvenil inducida en los colegios de monjas. La verdad es que a pesar de las innumerables conferencias de Pilar en las que mantenía el encargo del Caudillo de hacer de las mujeres españolas un prototipo que supiera «crear y dar fundamento a una familia, en medio de una apacible y amorosa convivencia...» la Sección Femenina, compuesta en exclusiva por mujeres solteras, dio un paso adelante en la realización de la mujer como persona, la hizo más dueña de sí misma y, sobre todo insisto, de su propio cuerpo. Las camaradas con el mandato de infundir en las mujeres españolas destinadas al matrimonio la ideología de la sumisión al hombre, de la exaltación del hogar, eran todo lo contrario de lo que predicaban y su propio estilo era el polo opuesto a los discursos de Pilar.

La verdad es que el legado del patrimonio de la Falange sobre las mujeres dejado por Franco a Pilar, quien, a pesar de que en la práctica varió poquito a poco el «discurso» de su hermano, debió a su vez producir no pocos remordimientos fraternales en sus relecturas de los textos del Jefe. Nada tenía que ver su cometido con la entrevista que Luisa Trigo, en 1936, en *La Voz* de Madrid, le hacía al jefe sobre el papel que las mujeres de entonces jugaban en el Parlamento. José Antonio se muestra tajante: «Las mujeres no harán más que redoblar con su voto el voto masculino, con sus defectos; no teniendo por tanto, el de ellas trascendencia en el camino futuro de España. Serán dos donde antes fuera uno, si usted lo prefiere. En los medios rurales, el sufragio tiene además el inconveniente de su insinceridad. Es evidente que las clases pudientes compran el voto de las económicamente sometidas. Y claro que empeoran lo que ya es detestable...»

La sin duda periodista feminista Luisa Trigo insiste:

«—Cuando la mujer intervenga en la gobernación del Estado, ¿no cree que defenderá a sus hijos contra la guerra, evitando que le arrebaten y destruyan lo más preciado de su labor y de su vida? La educación a los hijos en el odio a la guerra...

»—Los haría cobardes solamente. Los hombres necesitan la guerra. Si usted la cree un mal, porque necesitan del mal. "De la batalla eterna contra el mal sale el triunfo del bien", dice San Francisco. La guerra es absolutamente precisa e inevitable. La siente el hombre con un imperio intuitivo, ancestral, y será en el porvenir lo que fue en el pasado... ¿Los pueblos sin guerra?...»

En un momento de una entrevista en Madrid, de la mano de Isabel Cajide, Pilar se mostrará absolutamente partidaria de una paz «entre hermanos», a la vez que confiesa que «mi relación con José Antonio era de una unión grande debido, en mucho, a las largas ausencias de mi padre. José Antonio ejercía sobre mí una gran influencia de arrastre. Él era quien ordenaba mis juegos e imponía rigor en mi vida. Yo, creo, fui su preferida...».

Su preferida. Sin embargo, la diferencia ideológica, vencida o superada la dependencia con su hermano, fue patente: «La Sección Femenina no siente odio para nadie. Tampoco para los rojos. Sólo tenemos, tuvimos, verdadero afán de restituir el destino auténtico de España. A lo primero que nos dedicamos terminada la guerra fue a la tarea de reconstruir España con Irene Larios, Josefina Véglison, Inés Primo de Rivera... El Socorro Azul establecido en Madrid y fundado por María Paz Uncitti...»

VII
¿DÓNDE ESTÁN LAS MUJERES DE LA GUERRA?

«Mientras que por las calles desfilan los hombres,
cada domingo por la mañana,
al son de la holganza.
¿Dónde están las mujeres?
haciendo la compra
fregando los platos
de la noche del sábado
la limpieza repetida
el cuidado de los niños
mientras que por las calles desfilan los hombres
cada domingo por la mañana
al son de la holganza.
¿Dónde están las mujeres?
mientras los hombres,
a su manera,
al caer el día,
alrededor de una mesa,
rehacen el mundo,
mundo de sangre,
oscuro mundo...
Están guisando
ponen la mesa
sirven los platos
llenan los vasos
mientras rehacéis el mundo, a vuestra manera...
¿Dónde están las mujeres
mientras les hacéis el amor?

Lejos de aquí
y de vosotros
piensan en mañana
en la compra
el fregadero
la limpieza
los niños
la cocina
los cubiertos
la mesa
los platos
Piensan en el mañana...[1]

Como consecuencia del exilio España perdió unas 300.000 personas, de las cuales muchas pertenecían al grupo que podríamos llamar personalidades influyentes en el mundo de la política, de las letras, de las artes, de la cultura en general. Muchas murieron en los primeros tiempos del fin de la guerra a causa de las malísimas condiciones vitales por las que atravesaron. A partir de que, en diciembre de 1938, Franco emprendiera su última acción ofensiva con el sangriento ataque a Catalunya, y de que Juan Negrín instalara su débil gobierno en Figueres y de intentar establecer en el último aliento de la República una *paz honorable* con el General faccioso, el presidente de la República, Manuel Azaña, cruzaría la frontera francesa el 5 de febrero de 1939, y el 8 de este mismo mes la cruzaría Negrín. La guerra en España había terminado. Pero los derrotados pronto se verían arrastrados a otra guerra, si cabe más cruel y desde luego mucho menos heroica: la lucha contra Hitler.

Una vez más la pregunta clave, y hasta excitante debido a la falta de una respuesta lógica, vuelve implacable en este libro: ¿Y las mujeres? ¿Existieron las mujeres? En la memoria de los hombres que han relatado la historia, parece ser que no. Ni las que pudieron huir ni las que se quedaron constan en ningún, *en ningún* índice onomástico de los centenares de libros escritos sobre la guerra civil, el exilio y la resistencia. Lo confirmo con la certeza

1. Tonadilla anónima francesa de la II Guerra Mundial. (Traducción de la autora del libro.)

de no equivocarme. He pasado largas horas en esta investigación para recoger datos para esta historia de las mujeres y, aun queriendo encontrarlas con lupa, a pesar de saber que haberlas las hubo, ¡y tantas! no parece que las «hayla». Lo digo desde la ira y el reproche justos. No puedo dejar pasar por alto desde estas páginas la constatación de una injusticia histórica. Por ello digo sin ambages que este libro pretende ser un recordatorio, un homenaje claro y sin reservas a otras mujeres que se han ocupado de la vida y la historia de sus compañeras de sexo, que las han hecho reverdecer y brillar con su luz propia. Y yo sí prometo desde esta página concreta ponerlas a ellas, y solo a ellas, en mi propia lista onomástica. Y exclamar sin afán vengativo, pero con la rebeldía de no haber conseguido jamás que mi razón, ni mi lógica, ni mi sentimiento de justicia me llevaran a comprender la realidad, el fondo de la verdad de los hombres conchabados en la más rotunda y tozuda persistencia de ignorar a la mujer. ¿Qué les pasa a los hombres, qué les ha pasado desde el principio de los principios en su referencia a las mujeres? ¿Por qué han creído cumplir con ellas sólo a base de sus sonrisas de complicidad entre ellos, con sus engañosos paternalismos, con su rígida tozudez interior y su aparente generosidad al concederle siempre los segundos puestos en una historia que se ha hecho, escrito y vivido en común?

Claro que no es norma de un libro intentar lanzar al viento una pregunta en «lo universal». Y por supuesto que no espero que ningún hombre vaya a recogerla ni a asumirla porque no creo que ninguno, absolutamente ninguno, consiga una respuesta decente. Y es precisamente a causa de este profundo abismo de ignorancia por lo que las mujeres que historiamos a las mujeres no logramos ser exhaustivas. En la mención de tantas mujeres que figuran entre las españolas ilustres de fuera de España y de dentro, condicionadas por la continuidad del Caudillo (gusto en especial de llamarle Caudillo a Franco porque el autoproclamado con este nombre debía ignorar la exacta definición de tal palabra en los diccionarios: Caudillo, versus cabecilla de una pandilla de bandoleros), he puesto mi empeño con tan poco éxito por otra parte...

En este intento me quedaré corta. Para las de fuera,

su vida, tras los campos del 39 y durante y después de la Guerra Mundial, fue muy diversa. Para las de dentro también. Para todas, dolorosa. Quedarían, unas y otras, divididas en tres grandes grupos: las políticas, las intelectuales y las de a pie. Es fácil intuir sus vidas durante más de treinta años y comprender que, una vez entrada la decadencia del régimen, algunas de las que ya podían regresar no lo hicieran. Y también es admirable que otras recuperaran su país con grandes dosis de coraje. Algo las caracterizó a todas y ese algo puede sintetizarse en las palabras de Carlota O'Neill al comienzo de su libro *Una Mexicana en la guerra de España*: «Advierto que no reconozco a mis enemigos como tales.» También en el lado opuesto, Pilar Primo de Rivera, como ya he recordado, decía palabras parecidas: «En la Sección Femenina no guardamos ningún rencor... ni contra los rojos.»

En este intento de re-biografiar a estas mujeres que lo dieron todo por la República, hasta sus propias vidas, recuerdo una anécdota que me atañe y que es sumamente explícita. A comienzos de la década de los 60, cuando los jóvenes intelectuales empezaban a entrar en el mundo editorial, alguien se interesó por la loable tarea de recomponer la historia de la guerra civil, vista desde dentro. Rafael Borrás (desde Editorial Planeta), decidió encomendarle a Edmón Vallés un libro ambicioso: *La historia cotidiana de la Guerra Civil*. Mi amigo Borrás, que desde mi venida a Barcelona se había ocupado bastante de mí, me incluyó en el proyecto y, con Edmón, trabajamos muchas horas en la elaboración del libro. Había que trasladarse a Madrid para consultar la única Hemeroteca que por entonces estaba abierta a los estudiosos del tema. Tras muchos papeleos, tratos kafkianos y la ayuda de algunas amistades influyentes conseguí el carnet más difícil de mi vida: el de lectora *especial* de los diarios de la República y de la Guerra Civil. Yo me había tomado aquel trabajo como un desafío contra las dificultades que suponía. Todavía sabía muy poco de aquella tragedia. En Madrid, a través del propio Edmón Vallés, contacté con Rafael Abella, que iba también a colaborar en el libro. Él ya era entonces un experto en estos temas y su casa estaba abarrotada de libros sobre nuestra historia. Nos veíamos con frecuencia y de él empecé a aprender la otra versión de nuestra guerra civil. Pero fue en aquella vetusta hemeroteca donde descubrí la importancia de las mujeres en la contienda. Nombres como el de Dolores Ibárruri (que no fue por cierto la única «Pasionaria» en nuestra guerra: Hubo otra Pasionaria anarquista y otra socialista); de Federica Montseny, anarquista; de Victoria Kent, de Izquierda Republicana. Estos tres nombres, debido a su posterior y larga tarea de lucha cada una desde su puesto ideológico contra Franco y, sobre todo, porque ellas fueron las encargadas de narrar su propia historia, son quizás los que los españolitos republicanos dejaron que brillaran, como mujeres, por sus propios medios. Por ello, porque a los compañeros de sus propios partidos les interesó mantener un emblema inteligente de mujer «en cabeza de lista», nunca les faltaron los elogios masculinos. De las tres, la más brillante, la auténtica líder, la verdadera ideóloga, la escritora y periodista nata, la lúcida analista política fue Federica Montseny. Victoria Kent afincada en Estados Unidos, intelectual, inteligente, creó y se entregó a su Revista *Ibérica*, por la libertad.

Dolores Ibárruri fue una presidenta útil y estética para los comunistas que carecían de una alternativa de otro dirigente mínimamente presentable. En este sentido, el camarada Carrillo supo suplir con la figura de Pasionaria sus escasas capacidades como líder carismático. Emblemático y bienaventurado el Título del libro que sobre Dolores ha publicado recientemente Manuel Vázquez Montalbán (Ed. Planeta, 1995): *Pasionaria y los siete enanitos*.

A estos tres nombres, a los que ninguna envidia varonil fue capaz de superar, seguían muchos que sí cayeron, después de la guerra, en el más abyecto anonimato. Es relativamente fácil, a partir de la muerte de Franco, reconocer el nombre y, aún algunos retazos de su historia, de Clara Campoamor, de Dolors Moncerdà, de Margarita Nelken, de Aida Lafuente, de Lina Ódena, de Soledad Mercader... Todos estos nombres se encontraban en los titulares de los diarios de la época. Y no puedo elegirlas al simple azar ni abandonar a las que no quepan en este libro y que no cupieron tampoco en el recuento de una de las más brillantes historiadoras de mujeres que, en tantos libros y aún a riesgo de comprometer su propio anonimato como gran escritora, realizó el gran esfuerzo de investigación y recopilación de las vidas de «sus» mujeres. Me refiero a Antonina Rodrigo y, en especial a su hermoso libro *Mujeres de España, las silenciadas*. Porque según sus propias palabras, «en la paz y en la guerra, las mujeres también asumieron un papel histórico en la España del siglo XX».

Yo las vi en letras de oro en los periódicos de entonces: en *ABC*, en *Crónica*, en *El Socialista*, en *El Sol*, en *Estampa*, en *El Frente Rojo*, en *La Batalla*, en *La Voz*, en *Ahora*, en el *Mono Azul*, en *Frente Libertario*... Y las leí impresionada por el descubrimiento. Algunas habían sido diputadas, directoras generales... Eran las herederas del viejo feminismo de los años 20 y de su praxis: El divorcio, la enseñanza libre, la participación y la militancia en los partidos políticos. Representaban también la continuidad de aquellas pioneras internacionales de la lucha social: Emma Goldman, ideóloga anarquista rusa, nacida el 27 de junio de 1869, Luisa Michel, creadora de la Comuna y una de las grandes maestras de Federica Montseny, Clara Zetkin, comunista (1857-1933), fundadora del Partido en Alemania que junto a Inessa Armand formarían un tándem en la lucha por la emancipación de la mujer. Víctimas a su vez de una dependencia enfermiza de Lenin, no podrían llevar a cabo con éxito su empresa, ya que el dirigente comunista las aplastaría bajo las botas de la defensa, ante todo, de la emancipación del proletariado. La causa feminista, para Lenin, era una segunda causa. Clara cayó ante los halagos del líder soviético quien aparentemente la trataba de igual a igual: «Cierto —le decía Lenin a Clara— que debemos crear un poderoso movimiento internacional de mujeres sobre una base teórica, precisa y determinada... Como también es cierto que nuestro II Congreso Internacional (agosto de 1920) no pudo discutir desgraciadamente la cuestión femenina». No hubo tiempo. ¿Nunca habrá tiempo?

Clara, que admiraba el movimiento y la influencia de Rosa Luxemburgo y su interés por la emancipación femenina, dentro del proletariado, le explicaba a Lenin la preocupación de Luxemburgo por las masas de mujeres prostitutas y que incluso pensaba movilizarlas para dignificarlas. Lenin, consternado, le replicaba: «Pero, ¿no es una exageración pretender que sean estas mujeres precisamente quienes se enrolen en las filas revolucionarias? ¿Acaso en Alemania no hay suficientes obreras con conciencia de clase, que es lo mismo que decir con conciencia política?... Se trata de una aberración malsana.» Al camarada Lenin no le gustaban las prostitutas.

Al igual que otras grandes pensadoras de aquellos años 20, Clara Zetkin sucumbiría en la trampa de la obediencia y la fidelidad a su partido, no desviarse de sus consignas y aparcar para otros tiempos más propicios el candente asunto de las mujeres.

Como decía, las mujeres que destacaron con letras de oro en la prensa de la Guerra Civil eran seguidoras de aquellas ideólogas de los años 20 y, como ellas, volvieron a caer en el placebo de que la salvación de la humanidad de los hombres pasaba ineludiblemente por encima de la salvación de la humanidad de las mujeres. La guerra toma como rehén a las mujeres que se enrolan «como hombres». Pero la guerra se perdió, y se perdió de nuevo la guerra de la mujer que aquí y allá volvería a las tareas de su propio sexo: la aguja, los niños, la cocina y la iglesia o el partido.

A mis primeros descubrimientos de las mujeres de la Guerra Civil contribuyó en gran medida la colaboración de Edmón Vallés y Rafael Abella para la ejecución de *La vida cotidiana en la Guerra Civil*. Poco a poco los envíos desde Madrid a Edmón sobre la vida cotidiana de los españoles en la guerra se hacían más escasos mientras, por mi cuenta, aumentaba mi dossier sobre el tema específico de las *mujeres* en la guerra española. Mis amigos no eran tontos y fue el propio director literario de Planeta quien me sugirió el trabajo específico de una historia de *Las mujeres en la Guerra Civil*. Curiosamente aquel trabajo luego no interesó a los editores. Supongo que lo consideraron una obra menor, una obra sobre el segundo sexo, no comercial, no vendible.

Seguramente no fue una casualidad que Ramón Serrano, mi representante y luego editor, el menos sospechoso de antifeminista de cuantos he conocido escogiera, en 1975, aquel año de esperanza porque alguien agonizaba en su cama, para el contrato del libro que se presentaría en Madrid con cierto bombo y platillo. Acudieron al acto algunos miembros de la antigua «nobleza» del régimen, algunos por curiosidad (¿así que habían existido las mujeres republicanas?), otros para subirse al carro de los nuevos tiempos que, muerto Franco, tendrían que llegar. Lo más importante para mí fue la numerosa asistencia de mujeres de Madrid que llevaban ya años en el convencimiento feminista de hacer algo para mejorar la situación de la mujer: Cristina Alberdi y sus hermanas Itziar y Consuelo, que desde su despacho luchaban por las anulaciones matrimoniales, las separaciones, la propiedad del patrimonio propio de las mujeres y la posibilidad de abrir cuentas bancarias sin la conformidad del marido, una vez ya hacía años que no necesitaban de la conformidad del Servicio Social; Paloma Saavedra, la excelente periodista y amiga del alma y de la vida, Carmen Sarmiento, Rosa Montero que todavía no era el genio femenino de «El País»; Lidia Falcón, que había prologado el libro con su brillante idiosincrasia... A la salida, bastante exultantes, nos reunimos hasta el amanecer para dar a luz al intento suicida de la creación de *Vindicación Feminista*. Pero esta es una historia de la que me encargaré más adelante.

Pues sí, señor, amable y escéptico asistente a la presentación de aquel libro que pretendía dar testimonio de la vida de las mujeres en la guerra... Sí, señor. Existieron las republicanas, las milicianas, las comunistas, las socialistas, las troskistas, las de la FAI y las de la CNT. Aunque tarde, excéptico caballero, y perdone la osadía, y disculpe las molestias, puedo confirmarlo y lo confirmo. Y para ello busco otra palabra, una mejor testigo. Como se dice en la solapa del libro de Antonia Rodrigo sobre sus mujeres silenciadas: «Antonina necesitaba la palabra de estas gigantes de nuestra historia. Las necesitaban todas las mujeres para poder atravesar la corriente en este remolino cultural en que se ha sumergido su sexo durante siglos. Necesitan estas rocas para no dejarse engullir por la desesperación, para darse cuenta de que su impotencia no es una fatalidad o una broma de mal gusto de la madre Naturaleza. Que para superar su incapacidad para expresarse, para dominar "la sabiduría" de los hombres, la ciencia, para dominar, en suma, el Universo hacen falta años, quizá siglos y, sobre todo, las palabras de las que las han precedido, de las grandes olvidadas, de las que descubrieron mucho antes que las mujeres de hoy que la historia ha sido fabricada por los hombres de las castas superiores en provecho de los hombres de las castas superiores.»

«Es urgente, —dirá la propia Antonina— recuperar la palabra de las mujeres que las han precedido en esto tan abstracto y concreto a la vez que se llama existencia. Los hombres no lo harán por ellas. Y cuando lo hacen, a veces sería preferible que se callaran.»

«Aunque las reinventen día a día —los hombres a las mujeres— en la publicidad y en el arte, en la poesía y en el cine, los hombres las desconocen, y se llevarían grandes sorpresas si, modestamente, se sentaran a escuchar sus palabras. Se darían cuenta de que no estamos tan lejos los dos sexos como ellos suponen. Mas, para escuchar hay que dejar de pensar que uno es el rey del Universo. Y al igual que los monarcas sólo escuchaban de los bufones aquello que les complacía, la gran mayoría de los hombres tienen pavor a oir esa nueva palabra que va surgiendo lentamente de los infiernos: *la palabra de la mujer*.»

VIII
EL OPUS FEMENINO, DE NUEVO UNA HISTORIA DE HUMILLACIÓN

Se empezaba a hablar y a saber del Opus Dei dentro de la información semi-universitaria, muchos años después de aquellos treinta, cuando el joven Escrivá de Balaguer se separa del mundo eclesiástico y enfrasca sus ambiciones en el poder de un laicado religioso. Primero, es cierto que se pondrá en manos de los jesuitas para prestigiar el espíritu de su obra religiosa en aras del poder. Pero pronto manifestará su recelo y su aversión contra el clero y hablará con extrema dureza de los frailes y de las monjas. Él cree ser el único enviado de Dios para devolver el sentido de la cotidianeidad de los hombres y mujeres (y digo mujeres por decir algo aparte de por qué no quiero perder el tiempo, que sería no nombrarlas, en ningún momento del quehacer de esta historia de mujeres) que por un lado, a raíz del Alzamiento, quedaron aprisionados en un anclaje ortodoxo, regresivo e involucionista y, por otro, obsoleto en lo concerniente a los destinos del estado. Escrivá desprecia la falta de ambición de poder por parte de la Iglesia y, a la vez, la falta de un poder económico que nunca vendrá dado sólo a través de la espiritualidad con un franquismo alineado en las conveniencias y en connivencia con el Vaticano.

A Franco, los movimientos católicos, el clero y la Iglesia, como antes la Falange, en el fondo le traen sin cuidado. A él solo le importa procesionar bajo palio y tener el Nihil Obstat de una iglesia decadente y traidora que antes pactó con el nacional catolicismo y que ahora está dispuesta a pactar con el mismísimo demonio para ejercer su hegemonía católica confirmada por el Concordato.

No voy a perder el tiempo, pues, en este trabajo explicando una historia conocida que una vez más ha sido explicada con minuciosidad y partidismo por los hombres que la protagonizaron. En la crisis ministerial de 1957, acabada la influencia de la Falange en el régimen, los nuevos ambiciosos tendrán muy claro que al Caudillo se le ha terminado el cheque en blanco de los nuevos católicos por una parte, a la vez que el Falangismo, que ya no le sirve más que para ser el recordatorio de un fascismo, no le vale ni siquiera para preparar una entrada respetable en la ONU.

Los universitarios se ponen en pie de huelga, los obreros salen de sus guaridas y la Iglesia ha reaccionado a tiempo para ponerse al lado de unos y de otros. Entran en este año decisivo dos ministros del Opus en el Gobierno; Mariano Navarro Rubio en Hacienda y Alberto Ullastres en Comercio. Es el momento de la crisis, de la terrible lucha entre un régimen impresentable y un nuevo régimen tecnócrata que habrá que aceptar. El Opus estará ahí para el relevo... Acaba de declararse la guerra por el poder entre azules y tecnócratas.

Los católicos, hartos de su colaboración con un régimen que sigue negando los postulados cristianos y al que sólo le interesa entrar en las cuentas del Vaticano; los católicos de «base», confortados por algunos obispos contestatarios, se alistarán codo a codo con las revueltas de los estudiantes y las de los obreros. Las iglesias serán poco a poco tomadas por los rebeldes y cedidas con gran respeto y alto riesgo por sus párrocos respectivos. En los conventos y en las parroquias se celebrarán los actos más comprometidos por la libertad y el derrocamiento del dictador. A la España ineludiblemente católica de Franco ya no le sirve la Iglesia si no es para la represión policial en la rebelión de las sotanas. Cuando en 1939 el Opus empezó su verdadera expansión Franco entendió a Escrivá, pero éste llevaba en el seno de su organización un componente fascistoide demasiado descarado, sobre todo para los pactos internacionales que le interesaban a un Régimen que quería por encima de todas las cosas ser reconocido «en lo universal». Así que lo aparcó para tiempos más útiles.

La rigurosa cohesión interna del Opus y su pacto salvaje con el capitalismo, la selectiva y minuciosa adopción de sus miembros, separan radicalmente a una sociedad que está todavía sufriendo las miserias y el interminable miedo de la guerra. Sin embargo, a esta organización que ha esperado, agazapada, prácticamente oculta, durante la posguerra le ha llegado el momento de gobernar. Las carteras ministeriales pasan por sus manos y, aunque nunca manifestado ni reconocido como tal, España a partir de la arribada oficial de los tecnócratas (1957) será un país gobernado por el Opus Dei. Los ex mandones de Franco intentarán organizar un golpe solapado con el caso Matesa (1969), pero de nada les servirá, y los «azules» de Fraga Iribarne habrán perdido definitivamente el timón de su imperio. El franquismo azul en sí mismo se ha ido debilitando, mientras que el Opus adquiere un poder económico grandioso y, por tanto, político. Es cierto que la carrera por el poder de los opusdeístas tal vez haya llegado con retraso y la muerte violenta de Carrero Blanco —su gran protector— provocará inesperadamente su gran crisis. La importancia del Opus Dei en la historia del franquismo, no por ser desconocida es menos descomunal. Y no «lo merecen», pensará Monseñor, después de tantos años preparando el golpe.

Al regreso de su huida a Francia, en el estallido de la guerra, Escrivá regresaba por San Sebastián a Burgos, precisamente donde el generalísimo tiene instalado su cuartel general. Envuelto en un halo de misterio y de secta la Organización atraerá a muchos españoles —¡ah!: y españolas—, tan predispuestos siempre por su propia idiosincrasia a la cosa oculta. Jesús Ynfante dirá en su libro sobre la Obra: «El Opus Dei ha venido a ocupar en la Iglesia Católica el papel que la masonería ocupó entre los liberales.»

A pesar de sus apariencias secularizadoras —el trasnochado «mitad-monje-mitad-soldado»—, su composición jerárquica no dejará ningún hueco a la individualidad. Escrivá lo tiene claro y traza una estructura basada en cuatro apartados cardinales: existen los *socios numerarios*, clérigos o laicos, *siempre célibes* y únicos dirigentes; los *oblatos*, célibes que no satisfacen todas las condiciones para ser numerarios; *supernumerarios*, formados por gente casada; y *colaboradores*, los simpatizantes que ayudarán a la obra con oraciones, trabajo y limosnas millonarias.

El celibato será la opción, la condición indespensable que arrancará del corazón de Escrivá todos sus delirios. Mientras Franco ganaba la guerra, desde Burgos él ya, también desde Burgos había trazado punto por punto el guión de su empresa. Parió un librito, *Camino*, con todas las connotaciones de un panfleto demoledor e involucionista: «El matrimonio es para la clase de tropa y no es para el Estado Mayor de Cristo. Así, mientras comer es una exigencia para cada individuo, engendrar es una exigencia sólo para la especie, pudiendo desentenderse las personas singulares. ¿Ansia de hijos? Hijos, muchos hijos y rastro imborrable de luz dejaremos, si sacrificamos el egoísmo de la carne.»

En realidad, sin querer entrar en hacer una valoración política de la nocividad que para nuestro país fue el ascenso del Opus al poder, cosa que por otro lado espero que alguien analice en profundidad algún día, respecto al vaivén interminable de secciones femeninas en las que ha ondeado la mujer, quizás ésta constituya su aventura individual más humillante.

Al releer los «Estatutos secretos del Opus Dei», publicados en julio de 1986 por Ediciones Tiempo S.A. me recorre el mismo escalofrío olvidado de aquellos tiempos de mi iniciación en la Obra. El señor Escrivá dedicó diez breves artículos a las mujeres, diez entre las 185 disposiciones para sus socios. Dada su brevedad no temo aburrir al lector con una suscinta selección: Así, número 9: «... Además, en la sección de mujeres, las Numerarias auxiliares, con la misma disponibilidad que las demás Numerarias, dedican su vida principalmente a los trabajos manuales u oficios domésticos, que acogen voluntariamente como trabajo profesional propio, en las sedes de los centros de la Obra.»

Art. 101: «Para las mujeres Numerarias Auxiliares, los centros de estudios disponen de cursos de formación filosófica y teológica acomodados a las circunstancias personales de éstas. De este modo, los cursos no deben necesariamente abarcar un currículum filosófico teológico íntegro.»

Art. 133: «Para la Sección de mujeres, existen también Congresos Generales convocados, tanto ordinarios como extraordinarios, no, sin embargo, congresos Electivos.»

Art. 178: «La creación de un Centro lleva consigo la potestad de erigir otro centro para las mujeres fieles a la Prelatura, adictas a la Administración del primer Centro, del tal manera que de derecho haya dos Centros en cada domicilio del Opus Dei.»

Art. 185: «Las disposiciones que sobre los varones se establecen en este Códice, aunque expresas en vocabulario masculino, valen también con igual derecho sobre las mujeres, a no ser que, desde el contexto del discurso o por naturaleza del asunto, conste otra cosa, o explícitamente se presenten escritos especiales.»

Lo cierto es que a esta afrenta casi no habría nada que añadir. Dejar que las palabras y los olvidos de Escrivá canten por sí solos en esa coral del machismo español. Pero este caminar por la historia de las mujeres del franquismo no es un trabajo de revancha, ni siquiera una lista de agravios históricos. Me gustaría alcanzar mi intento de explicar una memoria histórica que me pertenece y que, todo hay que decirlo, constituye la trayectoria de muchas mujeres de mi generación que nos enrolamos en todas las opciones que se nos ofrecían en aras de la vocación de ser útiles en la sociedad y de desarrollarnos a nosotras mismas. Utilizando para ello y con un grave exceso de generosidad todos los instrumentos que se nos ponían a nuestro alcance. En este preciso momento de 1995 debo subrayar que en todos los episodios de la vida de las mujeres en nuestro país (y tal vez esto nos salve de muchas estupideces y nos disculpe de las grandes pérdidas de tiempo que cometimos), en todos los episodios, digo, en los que las mujeres creyeron un deber su intervención dentro de las organizaciones creadas por los hombres, ninguna brilló por su ansia de poder ni de enriquecerse, algo que ha sido la peor constante entre los hombres de los movimientos, las organizaciones y los partidos. Y esto hay que decirlo en este año 1995, en estos momentos en que hasta a los propios hombres buenos les estremece el «único destino en lo universal» de todos ellos: enriquecerse, enriquecerse, enriquecerse. Pasando por encima de toda ética y de cualquier sentimiento de justicia. Asesinando, torturando, aparcando a todo aquel que pudiera interponerse en su frenética carrera hacia el dinero, es decir por el poder. La larga historia del franquismo tiene todos los contenidos de una etapa salvaje. Y su resultado final, el que hoy nos hace exclamar a todas las mujeres buenas y a todos los hombres buenos: Pero, ¿a dónde hemos llegado?, el resultado final es la gran corrupción que propició, alentó y practicó aquel siniestro y casi inmortal Caudillo por la gracia de Dios. Nada que él no quiso ha sucedido.

En estas dos actitudes, hombre-mujer, podrá tal vez un día por fin plantearse el «Voici la différence». Pero esto ocurrirá sólo si un día alguien se propone en serio llevar a cabo la auditoria de las cuentas corrientes de unas y de otros.

Por otro lado, y recuperando el tema de la presencia de la mujer en el Opus Dei, me asalta la tentación de creer que mi breve andadura por los «caminos» de Escrivá nunca existió. Me ataca como una especie de Alzheimer que me dice que nada nunca existió. Que ninguna mujer existió en el Opus. He buscado y rebuscado en las listas del célebre libro de Ynfante; en el cuestionario de Eva Jardiel Poncela, *¿Por qué no es usted del Opus Dei?*, en *La historia oral del Opus Dei* de Alberto Moncada. Ignoro si en estos índices están todos los que son o no son todos los que están. Lo cierto es que el desprecio hacia la mujer de Escrivá de Balaguer caló tan hondo que ni sus adictos ni sus contrarios se enteraron de su existencia.

En las ciudades de provincia había unas cuantas hijas de buena familia, ex alumnas de los colegios de monjas que destacaban por su distinción. Eran altivas y distantes. Siempre en guardia en su proselitismo, pensando siempre en el patrón que quería el padre para sus hijas. Estaban destinadas, en el ambicioso camino de Escrivá, al servicio de sus hombres; hombres de la mayor relevancia en la nueva sociedad española. Tenían que ser, ante todo, herederas de una buena dote y, además, inteligentes y estéticas. Algunas de las que conocí ya habían gozado del inmenso privilegio de conocer, tocar, ver de cerca a Escrivá. Ya se encontraban en estado de hipnosis, extasiadas. «Recuerdo como si fuera ahora el día que le oí hablar por primera vez. Desde el primer momento sus palabras empezaron a clavarse en mi alma como grabadas a fuego...», me explicaba mi primer contacto durante un largo paseo por la Devesa de Girona. Luego, sentadas en un banco hasta el atardecer, se dispuso a leerme *Camino* entero. De vez en cuando apretaba el librito entre sus pálidas manos y recitaba de memoria: «¡Sé recto, sé viril, sé hombre!»

Me entregó aquel catecismo como un tesoro. Noventa y nueve máximas, ni una, ni *una* que expresara el más mínimo respeto por la mujer: «Gravedad: Deja esos mimos y carantoñas de mujerzuela o de chiquillo. Que tu porte exterior sea reflejo de la paz y el orden de tu espíritu...» O: «¿Acaso no tenemos facultad de llevar en los viajes alguna mujer hermana que nos asista, como hacen los demás apóstoles y los parientes del Señor, y el mismo Pedro...?»

El embrujamiento que Escrivá ejercería sobre sus súbditos entra en el más puro estilo de una secta. Quienes quisieron, en algún momento de lucidez y de grandes dosis de valor, *desprogramarse* sufrieron persecución, calumnias, amenazas y los más crueles destierros intelectuales y profesionales. «En la Obra se entra por la puerta entreabierta, se sale por la puerta grande», repetía el Padre. Aparte del enorme desprecio que conllevan tales palabras para el traidor que abandona, se vislumbra toda la carga de punición que la Obra tenía, lista y a punto, para los desertores.

Muy a pesar mío, haciéndome eco de Monseñor Escrivá en el punto 33 de su librito *Camino*, siento de nuevo como si su «llamada» me hiciera inmiscuirme en este secreto, el mejor guardado de todos los siglos sobre las mujeres del Opus Dei por más *oblatas* que fueran: «Nunca quieres agotar la verdad, unas veces por corrección, otras —las más— por no darte un mal rato y siempre por cobardía.» El cinismo del Fundador, en este sentido, es impecable. Agotar la verdad suprimiendo el diálogo. Agotar la verdad en el acto de confesión sacramental para explicar al director espiritual hasta tus más entrañables deseos o voliciones. Desentrañarse para que ningún pensamiento escapara de la red manipulativa. Esto era para Escrivá agotar la verdad. Los socios, autoritarios por temperamento, ejerciendo su mano desde arriba y concibiendo la Obra como un frente armado para la lucha, estricto y militante, «que se opone a otros sistemas (el comunismo, por ejemplo) empleando sus mismas bazas: consignas, sometimientos, mentalizaciones, despersonalizaciones, mitificación del líder, etc. «Todas las artes son válidas, todo vale... si los otros las utilizan para el mal, también cabe, de igual manera, manejarlas para el bien» (M.ª Angustias Moreno, *El Opus Dei, anexo a una historia*).

Esta escritora, que permaneció catorce años al servicio de Escrivá de Balaguer, era en 1975 —el año coincidente de la muerte del Fundador y del Caudillo— un exponente vivo de la existencia de mujeres en el Opus. Lo era porque se quebró en el intento y abandonó, a base de una inmensa tragedia espiritual, la casa del Padre. Su testimonio nos deja bien claro el mísero papel de las mujeres en la Organización.

Sí, las hubo y las hay. Todas enamoradas del Padre, como corresponde a los impulsos femeninos de la carne, y el propio Escrivá, de puertas adentro, las enamoró y las supeditó a su Ego paranoico. Siguiendo el mismo procedimiento del terreno de los hombres, previamente, las aspirantes habrán sido minuciosamente seleccionadas: universitarias, a ser posible, jóvenes con fortuna personal que entregan todo cuanto poseen a la Obra, de una manera incondicional y sin posibilidad de reclamo si algún día rompen «el contrato civil» con el Opus. Éstas estarán destinadas a dirigir las casas de mujeres y también las de los hombres. Amas de casa perfectas, sumisas y tremendamente útiles para la organización interna de sus cuarteles. Una elite de mujeres del Opus llevaba el abastecimiento humano de la secta. Serán las directoras, cuyo título no les servirá más que para formar la *tropa* que compondrá la amplia red de servicio doméstico que obviamente necesitan las organizaciones masculinas.

«Si el Padre entra en una tertulia —cuenta M.ª Angustias Moreno— para estar un rato con los de la casa, una tiene que sentirse sobrecogida de emoción, de la suerte que supone. Si hace alguna alusión personal, emocionarse hasta llorar. ¡El Padre me dijo! ¡El Padre me miró y me sonrió!»

El Fundador conocía muy bien la innata solicitud de las mujeres y, a pesar de su desprecio visceral por ellas, las necesitó y las utilizó hasta extenuarlas. Cada casa está regida por una directora y, en cada casa, la directora se ocupará de una manera muy especial de atender al Padre en el reposo del guerrero. Ropa especialmente selecta, comidas frescas compradas a diario aunque el Padre tarde tres años en aparecer. Adonde vaya, *adónde vaya a ir* se trasladará un equipo de especializadas que se encargarán de servirle en el comedor, desde la cocina, desde el planchador, el rostro contra el mosaico, el parket o la alfombra persa. ¿Un reyezuelo? ¿Un Napoleón? ¿Un Hitler? ¿El jeque de un harén para las mujeres del Opus y de una mafia para los hombres del Opus? Un manipulador, uno de los más grandes manipuladores de almas que ha sufrido nuestra historia reciente.

M.ª Antonia Iglesias en su libro desmenuza, aunque no parezca impulsada por ninguna causa especial de reivindicación feminista, la situación en la que se encuentran estas mujeres que, en apariencia, no han existido. «Por su discreción», como dirá y exigirá el Padre de sus mujeres: «En el caso de las mujeres es distinto. Se ha de vivir todo igual (el confort, el lujo, el bienestar...) y de hecho todo ha de ser igual de selecto. Pero ellas son las que lo trabajan, ellas las que sirven. No tienen la compensación de unos hijos, ni la ayuda de un marido; pero sí tienen el incordio de tantos hombres que, pidiendo y necesitando, equivalen a muchos maridos y a muchos hijos.»

El Opus Dei femenino empezó a calar en las mujeres bastante después de lo que era ya la obra en sí y su infiltración en la sociedad y en diversos sectores del poder coincidía con el momento del declive de la Sección Femenina de la Falange y del desprestigio generalizado de las órdenes religiosas. Pero las opusdeístas no son las únicas que inciden en la secularización de una sociedad femenina, de fuerte mojigatería monjil. Surgieron también otras opciones dentro de los movimientos de monjas seglares que serían lo más parecido al levantamiento de las sotanas masculinas. Componían grupos de monjas secularizadas que entraban de lleno en la ayuda social a los necesitados, a los más marginados. Como en todos los momentos de la historia de un país en el que los pobres siguen siendo pobres y los ricos muy ricos surgen estos movimientos vocacionales y de colaboración para que se haga justicia con los que sufren. Son grupos de mujeres que, a través del cristianismo, repiten los votos de castidad, pobreza y obediencia a Cristo. Y hubo organizaciones muy loables.

Personalmente recuerdo haberme integrado como «compañera» de viaje en el grupo de las Misioneras Seculares. Vivían en pequeñas comunidades en barrios periféricos, cercanos siempre a las viviendas de las clases trabajadoras. Surgidas del invento de la Asistencia Social, dedicaban sus afanes a resolver problemas inherentes a las clases trabajadoras y luchaban subrepticiamente contra la burguesía que acogotaba a los pobres. Eran gente honesta, buena, sencilla, ingenua, que se agotaban en esfuerzos ingentes en su quehacer de todos los días practicando la utilísima caridad bien entendida. No buscaban adeptas y apenas hacían proselitismo. Acogían y alentaban todas las colaboraciones espontáneas. La mayoría tarde o temprano se vieron obligadas a desaparecer por falta de medios, por falta de ambiciones personales y porque el cebo de la sección femenina del Opus Dei reclamaba a aquella juventud femenina para que entrara a formar parte de algo tan importante como solucionar el problema de los hombres del Opus Dei. En este caso no creo equivocarme si digo que de nuevo se montó el gran teatro de la utilización de las mujeres para el triunfo de una organización claramente varonil.

De mis primeros contactos con una mujer del Opus Dei recuerdo claramente el orgullo de su secreto por pertenecer a una orden de la que todavía no se podía mencionar apenas el nombre y cuya divinidad se hallaba por encima del concepto de las monjas de toca. Aquella mujer solía reírse no sólo de los conventos sino de otros intentos de congregaciones religiosas femeninas «destinadas al fracaso», según auguraba.

El Opus Dei de Monseñor estaba por encima de lo humano y nunca supo de solidaridad, ni de cordialidad con la clase obrera. Aquello recordaba demasiado el incipiente pacto humanista en la lucha de clases que se estaba fraguando entre los católicos comunistas y los comunistas católicos. Llegaban ya las voces y la palabra de Teilhard de Chardin, el espectáculo de los curas disidentes corriendo delante de la policía franquista. Estaba Carlos Comín. Y Aranguren. Y el padre Jordi Llimona. Y Zubiri. Y Tierno Galván. Y José M.ª Valverde.

Sí. Tenía razón la del Opus. Las monjas seglares estaban destinadas a desaparecer dado el escasísimo soporte económico que la Iglesia les propició, y dado que eran altamente sospechosas de independencia del clero. Y dado que, en aquellos tiempos exactos se hacía imprescindible una organización más eficaz y, por ende, más clandestina de la que su propia buena fe les reclamaba. Mis recuerdos desde Madrid, donde estudiaba periodismo, son los más entrañables de mi vida universitaria. María Luisa Luca de Tena, hermana e hija de los Luca de Tena de *ABC* fue su puntal indiscutible.

Pasaban en todo desapercibidas y ello las hacía distinguirse. Nunca supe con certeza cómo habían conseguido reunirse y atomizarse por el país de una forma tan callada. Sin lugar a dudas iban a ser muy pronto la presa idónea para el león rugiente del Opus que se aprestaría a devorarlas. En este caso sin consignas concretas, sin dedos inquisidores que señalaran al enemigo. La táctica sería la oración en maitines del «nosotros somos los únicos hijos de Dios». Nadie tenía el monopolio en cuestiones de Dios. Sólo el Padre. Amasado su ingente patrimonio económico gracias a las limosnas de los pudientes, acaparado el poder político con el desembarco del falangismo tras la Reunificación y con Dios en exclusiva, también los pequeños facciosos de la Iglesia serían pronto ninguneados: los Cursillo de Cristiandad, la Acción Católica, las Catequesis, los curas obreros, las monjas seglares. Tocas y sotanas arrojadas en los baúles de la historia religiosa del país, despachados los jesuitas de la dirección espiritual de una juventud que, de la noche a la mañana se despertaba laica, el Padre sería el gran terrateniente de miles de almas que se habían quedado yermas, sin tierra que cultivar.

Practicaban igualmente las monjas seglares los tres votos ortodoxos. Y entiéndase así: los practicaban. Gozaban con el placer de «hacer el bien». Las seguí en su entrega por paliar la tragedia colectiva de las inundaciones de El Vallès en Barcelona. De nada hacían ascos: ni de la vieja que se meaba en un rincón y se desprendía de su manta de agujeros para dársela a otra mujer más aterida, ni de los mocos y la caca del chiquitín, ni de la madre a punto de parir acostada sobre un barrizal.

Vivían en pequeñas comunidades dispersas por el país. Casas humildes en extremo y situadas siempre en los barrios periféricos: «Aquí hay mucha demanda», me explicaba M.ª Luisa Luca de Tena, mientras saboreaba una taza de café, en atención a mí, que no a ella. No practicaban ningún tipo de proselitismo, sólo pretendían predicar con el ejemplo. Pensándolo en la distancia tal vez poseían un gran atractivo: la alegría, nunca supe si impostada o espontánea, que siempre irradiaba de ellas.

En Madrid, desde mi residencia de estudiantes, solía acudir a «su casa» los domingos, a sus excursiones... hasta que llegó lo inevitable: «Deja tu casa, a tus amigos y entra en nuestro noviciado.»

Mi respuesta, puesta en el indeseado e ineludible trance de escoger un nuevo compromiso, fue tajante y hasta cruel: «Hace tiempo que trato a mujeres del Opus... mi vocación se encuentra más cerca de ellas...»

La Directora me penetró con su mirada, tal vez de alivio, más bien creo, de pena: «Temo que no encontrarás nunca la paz porque tu corazón no podrá dejar de arder atosigado por el fuego de tu búsqueda constante y de tu rechazo a comprometerte. Yo sé que tampoco encontrarás la paz en el Opus Dei. Tú sabes quiénes son. A pesar de todo tu sentido de la lealtad tropezarás con ellas... y te harán daño.»

Se disolvieron poco a poco aquellas órdenes religiosas femeninas. O tal vez sigan, lo ignoro. En cualquier caso la verdad es que su paso y su ejemplaridad por la vida de muchas jóvenes jamás fue perverso.

IX
LA CULTURA DEL CAUDILLO

Siguiendo el proceso de formación de las mujeres de mi generación, que elijo como punto de referencia por el hecho puntual y casual de haber nacido en las proximidades del Alzamiento Nacional (hecho que coincide plenamente con la historia del período de la Dictadura en España), acabamos de traspasar el umbral de la primera juventud para entrar unas pocas en la universidad, muchas más en el laberinto envolvente de la preparación para casarse y formar el núcleo familiar, como estaba mandado desde las primeras tablas de Moisés. Algunas más independientes, aunque con el efímero bagaje de los pocos conocimientos adquiridos en los institutos o en los colegios de monjas, se ponen a trabajar en tareas de secretariado o como dependientas, modistas, peluqueras o sirvientas, con escasa remuneración económica, pero con la compensación de una cierta estima respecto a sí mismas. Maestras y enfermeras serán las dos semicarreras que ocuparán durante muchos años a las mujeres independientes que no han podido acudir a las Facultades de Filosofía y Letras o de Historia. Alguna consigue colarse en la carrera de Derecho o de Medicina aunque en ínfima relación numérica respecto a los hombres. Todas llevamos un tristísimo bagaje cultural de nuestra juventud que todavía sigue dividida en dos: las hijas de los vencidos y las hijas de los vencedores. Nuestras lecturas, las de las «vencedoras», habrán sido manipuladas con esmero, tanto para los varones como para las mujeres: *Flechas y Pelayos,*

Margaritas, Roberto Alcázar (diseño del héroe sospechosamente parecido a José Antonio) y, luego, *Roberto Alcázar y Pedrín,* que van por la vida arrasando a los malos, es decir a los antihéroes, *El Guerrero del Antifaz, El hombre enmascarado* y su amor platónico y virginal por *Diana.* Y las *Hazañas Bélicas,* un alegato contra los coreanos, del que tal vez sean herederos genéticos nuestros cabezas rapadas. Los designios de Dios son inextricables. Y con la inefable *Florita* sólo para mujeres y el entrañable *TBO* llegaremos a la mayoría de edad. A falta de otras lecturas más atractivas para la juventud femenina no habrá habido otra elección, pero la falta total de atención que el Jefe de la banda nacional presta al factor cultural beneficiará a la larga nuestra inevitable búsqueda hacia todo tipo de tendencias literarias. Las educadas en los colegios de monjas empezamos leyendo vidas de santas y santos. Los *ejercicios espirituales,* el recogimiento y el silencio obligados, propiciaron un excelente inicio a la lectura. Tras las oraciones leídas en común en las horas de las comidas y sobre todo en el momento de levantarse («Concededme Señor, la gracia de conocer cuál es vuestra voluntad y disponed enteramente de la mía. Yo os ofrezco mis pensamientos, palabras y obras...»). En el desayuno silencioso el cura impone su voz sobre nuestros corazones angustiados: «Considera cuán incierto es haber de vivir y cuán cierto es haber de morir... Considera cuántas veces no has hecho caso de las inspiraciones y avisos de Dios que interiormente te ha hablado para que te arrepientas, te enmiendes, y vivas constante en su gracia, siéndote suave el yugo de su ley... Todo lo pierde quien de Dios se aparta.»

Acto seguido, en el recogimiento solitario se pasaba a otras lecturas que no por sus excesos piadosos dejaban de contener la música de la poesía de algunos santos y santas que se expresaban con un innegable sonido poético. San Vicente Ferrer, San Francisco de Asís, Santa Teresa de Jesús y Sor Juana Inés de la Cruz. No estaban especialmente recomendadas las lecturas de éstas últimas, pero, por supuesto, las monjas tampoco se atrevían a incluirlas en su «Índice» particular. Aunque en mi caso, el de las monjas Escolapias, sentían una especial animadversión contra Teresa de Jesús porque era la patrona de sus rivales en el negocio escolar, las Carmelitas; las mías tenían como patrona a Santa Paula Montal, bastante analfabeta y que se encontraba en franca desigualdad con la Teresa febril lectora de los libros de Caballería. Una santa poética, rebelde, pensadora. Hija del siglo XVI, en plena edad de oro de la literatura española, Santa Teresa leyó todo tipo de libros de la época porque «le daba recreación leerlos», pasados ya del latín a la lengua vulgar gracias a la reforma del Cardenal Cisneros. Para las que nos iniciamos en la lectura de las obras de Teresa («El aprovechamiento del alma no está en pensar mucho, sino en amar mucho, y *ansí* lo que más os dispertare a amar, eso haced») la curiosidad intelectual había empezado. A través de los posibles éxtasis místicos a los que inducía Teresa se hacía posible la imperiosa necesidad de comprender más, había que saciar el ansia y la sed que reclamaba el desconocimiento del conocimiento. Pasar de las vidas de santos y santas a otros autores adictos a la religión o rebeldes a ella sería inevitable.

A los 17 años, terminados los primeros estudios, unas, como he dicho, se disponían a casarse, otras a los escasos trabajos que les había destinado la sociedad patriarcal y unas poquísimas a las carreras universitarias cuya elección, por otro lado, era implícitamente femenina, aunque de todas formas significaría la entrada en una vida totalmente distinta de la llevada hasta entonces. Incluso la relación con los compañeros varones conseguía romper las inhibiciones juveniles en este aspecto. El gran error cometido por el régimen de separar la enseñanza entre chicos y chicas, las mujeres lo pagarían a lo largo de su vida. Lesbianismos no deseados, timideces hasta la histeria respecto a los hombres, profundos sentimientos de inferioridad mental y del propio cuerpo... Es larga la lista de agravios que tiene el colectivo de las mujeres que han vivido bajo el régimen franquista, cometidos con tanta impunidad contra ellas.

Me he referido extensamente a los privilegios de que gozamos algunas afortunadas bajo el mandato de Pilar. No me duele ni me ruboriza repetirlo. A pesar de los agravantes de manipulación y proselitismo que utilizaron las mujeres de Falange, siempre habrá que reconocerles su desvergonzada apuesta por incorporar a «sus chicas» al terreno lúdico de los chicos. Y, por encima de todo, está la oferta de entrar en las competicions deportivas que nos permitieron liberarnos del yugo familiar y del estrecho cerco cobardón y remilgado de la educación católica.

Unas en la Universidad, otras en sus diversos trabajos, por fin las nuevas mujeres españolas se encontraban a sí mismas y con sus propias mochilas deberían recomponer, reiniciar la historia de la mujer. Aunque con algunos avances discutibles, seguirían formando el segundo colectivo de la humanidad. Las pocas que durante su infancia y su juventud se habían librado, gracias a la superación del miedo y de la integridad antifranquista que no las hizo doblegarse, que no las obligó bajo ningún concepto al «vivir de rodillas» de los colegios de monjas, de las escuelas públicas, y consiguieron iniciar su educación en los pocos colegios que quedaron incólumes y seguidores de las enseñanzas republicanas, éstas destacaban en su diferencia por no haber cantado el «Cara al Sol» y por haber tenido al alcance otras lecturas y otras informaciones muy distintas a las de la mayoría. Los cuentos de Andersen, Salgari, Julio Verne, las habían liberado de las *Floritas* y las *Hazañas Bélicas*; de Carmen de Icaza (que alcanzó categoría de *best seller* entre las jovencitas de Franco), de Louise M.ª Alcott, de M.ª Luisa Linares (¡OH!: «Mi novio el emperador»). Pero las diferencias se aproximaban y la España de las mujeres, con Franco, en la época de los 60 y ya estaría configurada de nuevo por los dos bandos. Franquismo y antifranquismo.

La entrada en la Universidad abría un mundo de posibilidades de desarrollo intelectual para la mujer. Cada cual con su particular bagaje pudo dirigir y escoger las lecturas que le interesaban. Las que se encontraban en las bibliotecas y en las librerías. Y para las más audaces, y no sin terribles remordimientos por aquello del pecado que todavía nos martilleaba el alma, llegaban los libros «prohibidos» que llevábamos ocultos en las carteras como llevaríamos más tarde los folletos de propaganda clandestina.

Por otro lado, al principio, en la Universidad se empezaba a hablar de la Falange y de Franco como nunca pude imaginar. El silencio sobre estos temas había sido la gran presencia de lo qué había, nunca de lo qué hubo. Sin comprender demasiado quiénes eran, nos impactó la expulsión de Enrique Tierno y José Luis Aranguren y, ya en el 57, empezaron las manifestaciones de los estudiantes y de los obreros. Fue la primera percepción, la primera comprensión del significado real de la guerra, de la larga represión. La policía entraba en la Universidad, los guardias con sus porras y, a caballo, perseguían con extrema dureza a los manifestantes. El miedo durante esta época lo tenía anclado en el cuerpo y las piernas me temblaban ante el anuncio de las detenciones de compañeros. Aquello era un nuevo mundo y la recuperación de mi propia identidad, de una memoria que no estaba en mis neuronas pero que podía asumir perfectamente con las primeras lecturas de la realidad de mi país, con las primeras versiones de los «vencidos», de Unamuno, Ortega, Machado, Azorín, sus contradicciones, el sentimiento de culpa del Rector de Salamanca y su «agonía» del cristianismo eran suficientes, y tan necesarias, para iniciar el camino de saber que lo que pasó en España no era lo que habíamos aprendido.

Primero fue *Celia*. Y *Cuchifritin*. Y *Paquito*. Y *Matonkiki* de Elena Fortuny. La *Mafalda* posterior de Quino. Luego llego la película *Mujercitas*, de Louise M.ª Alcott, que había despertado en las jóvenes de entonces unos sentimientos de anti-objeto femenino. Fue una película en clave de mujer donde las protagonistas brillaban por su propia identidad. La película fue en España para las mujeres una entrada de aire fresco en el que con toda naturalidad se reconocía la libertad de la mujer como un ser humano en competición con el hombre.

Me atrevo, en la distancia y en la profunda convicción de no tener que justificarme en nada, a decir que, para aquella España timorata, ordenada en la sempiterna jerarquía del hombre por encima de la mujer, la historia de Jo y sus hermanas componía el relato más bello y liberado de la esencia de ser mujer. No voy a magnificarla, pero tampoco a desmitificarla. Reinventaba las viejas ansias de las mujeres que en su juventud quisieron alcanzar los mismos privilegios que los hombres. En un momento dado todas quisimos encaramarnos en los árboles como nuestros compañeros, todas sufríamos de envidia irreparable respecto a los juegos de nuestros compañeros varones. Todas hubiéramos preferido la competitividad deportiva, los trenes, los coches y los caballos de carreras, en lugar de la estúpida *poupée* a la que debíamos dar de mamar y cambiarle los aburridos pañales.

Existe en mi memoria un «eslabón perdido». No sé determinar el momento preciso en que se desata la borrachera de la lectura. Nada más importaba. Por las calles, escondida la cabeza, el libro y la bombilla debajo de las sábanas. Primero devoré sin orden alguno los ejemplares que se hallaban en los armarios de mi casa. Cosas tan dispares como *El Quijote,* el *Gil Blas de Santillana,* libros de Historia de España, Julio Verne al completo, y al completo las espléndidas biografías de Stefan Zweig.

El descubrimiento de Rabindranath Tagore me impulsó a las librerías del viejo y a los mercadillos. Había que encontrarlo. *Platero y yo,* de Juan Ramón Jiménez. Sus textos los recitaba de memoria. Y los copiaba. Y los plagiaba con impunidad y a veces alcanzaba unas recreaciones que superaban al mismo autor. Amaba los versos de Walt Whitman y escribía otros iguales, de emociones tan paralelas. Era un éxtasis supremo, continuado, un estado de excitación eterno. Llegaron León Felipe y César Vallejo. La poesía me iba a incorporar definitivamente a la transgresión de la lógica hacía un sentimiento revolucionario de mi propia historia. ¡Cuán difícil resulta explicar este proceso y cuán diáfano resulta para mí!

En un viaje, mi primer viaje a París, mi tía Josefina Camprubí, la esposa del escultor Enrique Monjo, me puso en contacto con el escultor exiliado, Baltasar Lobo. Lobo vivía en un clásico atelier parisino con su compañera Mercedes Guillén, escritora y gran amiga de Picasso. Mientras mi tía paseaba por los alrededores del hotel George V, por la rue Saint Honoré y la Place Vendôme, yo realizaba frecuentes escapadas al estudio de los Lobo. Allí conocí, respeté y amé a mi manera a Blas de Oterò. Al principio, todos ellos me consideraban una burguesita franquista ante la cual debían expresarse con sumo cuidado. Aquella gente vivía, todavía en la década de los sesenta, con el miedo en el cuerpo. Allí, por primera vez vi el rostro descarnado del Caudillo y supe lo qué había sido la represión y las represalias del régimen. Mercedes, ya del todo confiada, me llevó un día a la Librería Española que tenían los comunistas exiliados en París. Tratar de explicar lo que aquel descubrimiento fue para mí confieso que me causa una exaltación idéntica a la que sentí en aquellos momentos. ¡Comunistas! Yo, una ex falangista, una ex de tantas cosas estaba codeándome nada menos que con los miembros del Comité Central. Ninguno se presentaba con su nombre, pero éste era un detalle que carecía de importancia para mí. Regresé con gran exceso de equipaje ante la sorpresa de mi tía: Los libros de Ruedo Ibérico, por supuesto, y otras decenas de autores desconocidos: Rafael Alberti, Miguel Hernández, Pedro Salinas, mezclados con *El Capital* de Marx, los tres tomos de *La historia de España,* de Miguel Ramos Olivera. Engels, Lenin... Pronto caí en la cuenta de que no me había traído ni un solo libro escrito por una mujer. ¿No hubo pensadoras, ideólogas, poetisas, escritoras? Buena pregunta, me dije.

Pero los hombres, y en este caso los comunistas que habían silenciado de nuevo a sus propias mujeres, «hombres necios que seguían tratando a la mujer sin razón», lo que no podrían evitar ni tampoco, claro, pienso que éste fuera su deseo, es que la lectora no percibiera los rasgos imborrables, «malgré tout», de unas mujeres que habían brillado con su propia luz. A través de Marx hallé a Flora Tristán, la primera que gritaría antes que el filósofo comunista «Proletarios del mundo, uníos». Y en muchos textos de sus libros adivinaría, si no el plagio, sí de donde provenía su inspiración. Y luego Clara Zetkin, y Rosa Luxemburgo, y Alexandra Kollontai y Louise Michel, escritora de altos vuelos y Emma Goldman. Y luego las más cercanas, la poetisa Ángela Figueras; Teresa León; Zenobia Camprubí a pesar del eclipse ponzoñoso y paranoico de su marido Juan Ramón; a pesar de haber sido durante toda su vida la *negra* irrenunciable del poeta Premio Nobel.

En el camino de una lectura exhaustiva de nuestros escritores de la generación del 98, devoré la obra total de Miguel de Unamuno, Antonio Machado, José Ortega y Gasset. Unamuno fue durante mucho tiempo mi «excitador» espiritual, sobre todo con su *Agonía del cristianismo,* con su atormendado sentimiento de culpa y su mundo paradójico, rabioso por ser y no ser, por sentir y no sentir a Dios. Todo ello parecía haber sido escrito exclusivamente para mi alma revuelta.

El paso al existencialismo, del cual Unamuno sería

para mí el responsable, estaba dado: Kierkegaard me transportaba. Volaba con él a todos los placeres que pueden producir la tortura espiritual e intelectual. Afirmaba que el sufrimiento y la melancolía están detrás del amor: «... Cuando feliz, alegre, veo pasar delante de mí los hombres que ríen de mi buen humor, yo río porque desprecio a los hombres y me vengo de esta forma.»

Momentos de gran tormenta personal, de identidad como mujer que contradecía a los maestros quienes, como demostraron a través de sus más geniales obras filosóficas, no habían tampoco entendido nada sobre el otro sexo. En su *Diario de un seductor,* el danés Kierkegaard dirá cosas tan poco inteligentes sobre Cordelia, su protagonista, como: «... Lo que interesa en efecto es mostrar los recursos de su espíritu con el fin de suscitar en la cándida Cordelia unos estados del alma que la enloquezcan en un «sabbat» infernal. ¿Qué puede temer una joven? El espíritu. ¿Por qué? Porque el espíritu constituye la negación de toda existencia femenina.»

La persistencia mientras escribo este libro por encontrar y reproducir textos tan cariñosos en honor de la mujer, ese objeto del hombre, no vaya a hacer creer que se trata del fruto minucioso de un trabajo de investigación. Puedo desafiar al lector, que él mismo entre en el juego: le bastará abrir cualquier libro de un autor, detenerse en cualquier página, para reconocer mi razón.

Entretanto el movimiento filosófico existencialista francés tomará un impulso universal: Kafka, Sartre, Malraux, Camus. A su lado la llamada feminista francesa Simone de Beauvoir, de quien a pesar de su *Segundo Sexo,* una obra rigurosa y hasta fundamental para las mujeres que tenían entonces totalmente adormecida la vena feminista, sospecho, y lo siento, que se inspiró y que la escribió fundamentalmente para agradar a Sartre.

«—¡Très saisissant, mon Castor!»

No obstante este convencimiento, no pretendo hacer tabla rasa de unos filósofos, unos escritores que también nos marcaron a las mujeres por su fuerza revolucionaria, por su voluntad inconoclasta, por protagonizar intelectualmente una época árida, desierta, a la que nos había sumido a todas y a todos, nuestra guerra y la guerra de Hitler y Mussolini.

Editado en México en 1966, Camus manifestaba su inmensa y apasionada repulsión al Caudillo: «Yo he encontrado en la historia, desde que tengo la edad de hombre, a muchos vencedores con rostro odioso. Porque leía en ellos el odio a la soledad. Y es que cuando no eran vencedores, no eran nada. Para existir les era necesario matar y esclavizar.» Eso también las mujeres debíamos agradecérselo.

En 1949, en la imposición de la encomienda de la Orden de la Liberación «como reconocimiento y homenaje a la obra intensa y emotiva realizada por Albert Camus», por el Gobierno en el exilio de la República española, el ministro de Justicia, Fernando Varela decía en su discurso: «Cuando vosotros los *hombres humanos* de todas las patrias, de todas las razas, de todas las creencias y de todos los rincones del planeta, aceptáis esta condecoración... ello significa a los ojos de la España dolorida que existe aún una esperanza de libertad...» ¿Dónde estaban, señor Varela, las *mujeres humanas*?

Como punto de referencia, como punto de partida, para que muchas mujeres españolas se dieran cuenta de la existencia de otras colegas de sexo que también pensaban, ideaban y creaban puede escogerse el año de la concesión del Premio Nadal a Carmen Laforet. Tras haberse iniciado dicho galardón con el Premio a José M.ª Gironella por el libro con un título significativo, *Un hombre*, por fin en la España siniestra una mujer existía y era premiada como un hombre. *Nada* era exactamente eso: Nada. La vida de una mujer después de la guerra que sobrevivió como tal en el oscuro mundo de los hombres de la postguerra. Y el destino de la protagonista estaba marcado: hacer faenas o hacerse puta. Oficios, ambos, del que los hombres se han liberado. «Hacer faenas.» Para ello, a través de los siglos han sido explotadas, pagadas, forzadamente cumplidoras de este papel creado para el bienestar del hombre. He hablado antes, quizás he sublimizado el papel de la mujer en la historia. De uno, jamás se ha librado: del de hacer faenas para el marido, para el hermano, para el padre, para el camarada, para el compañero.

Pero no tenemos el mismo lenguaje los hombres y las mujeres y, sin embargo para explicarnos debemos utilizar las mismas palabras. Serán más elaborados, mejor construidos los argumentos de los hombres para liberarse de sus fantasmas. Serán más inteligibles para los seguidores de Freud, pero los elementos de angustia del «continente oscuro» tienen sus propias manifestaciones, su idiosincrasia, sus argumentos personales que los hacen manifiestamente distintos del discurso de los hombres.

X

EL CAUDILLO SE DIVIERTE: PENA DE MUERTE AL CUPLÉ

Los antecedentes del fenómeno del cuplé nos sitúan en París en 1813 donde debuta, en el *Caveau moderne*, Pierre Jean de Béranger, el *premier chansonnier*. Su cáustico humor contra la monarquía y los jesuitas le llevará con frecuencia a la cárcel. Aquel hombre de principios del siglo pasado defenderá con ardor la libertad de expresión contra la censura. Los *caveaux* proliferan en París. Sin embargo deberíamos remontarnos a la revolución francesa para comprender posteriormente el contexto que permitió el nacimiento del cuplé. Entre 1790 y el 1792 el *Ça Ira* y *La Carmagnole* serán, hasta la aparición de la Internacional, la base del repertorio de las canciones obreras. Asimismo y en la misma época surge la Marsellesa, canción revolucionaria que se convierte en clandestina a partir de 1815 y en himno nacional a partir de 1879.

Entre 1780 y 1799, durante la revolución y el Directorio existen inmensos Cafés situados en el Palais Royal que presentan pequeños espectáculos intercalados de canciones y tan sólo frecuentados por hombres. Las canciones políticas atacaban al poder constituido hasta que fueron clausurados por el emperador Napoleón I, no reapareciendo hasta 1845. En 1870 se abren más de 100 cafés-concert, y se inicia el fenómeno de la proliferación de los *Music-Halls*, que posteriormente heredaría España.

Reina la pobreza mental en el París de una burguesía que ya no tiene que luchar para constituirse en clase social. El burgués quiere que todo el mundo se conforme con lo que tiene, sobre todo los pobres.

La literatura, las canciones y el teatro de la época pierden conexión con la realidad. Los gobernantes cortarán con todo lo que se sale de los cauces marcados. El todo París presenciaba los estrenos y se pavoneaba de que la opereta fuese el género más representativo de la época. La opereta significaba un mundo de liberalismo económico, social y moral, siempre y cuando no atacara el sistema establecido.

Uno de los principales elementos del cuplé será el vestuario femenino. La mujer del siglo pasado vestirá con crinolina, fajada y encorsetada hasta tal punto que se producen serias perforaciones de pulmones debido a la presión ejercida por las cotillas.

Si analizamos el proceso represivo y sugerente que podía significar aquel tipo de vestuario, resultará diáfano el éxito delirante que obtendrían las primeras mujeres que salieron al escenario con una simple combinación. La insinuación y el morbo estaban servidos por el «simple movimiento de un meñique», como diría Emile Zola. Resulta extraño comprender los impulsos volitivos de un hombre sentado en la platea esperando un guiño, el ligero movimiento de un tobillo o del dedo meñique. Burgueses que, por otra parte, podían comprar sus desahogos sexuales con las prostitutas, se conmovían con ardor ante los movimientos apenas perceptibles de las *vedettes* de los cafés cantantes o de las variedades, en los primeros diez años de nuestro siglo.

A partir de la exposición de 1900, cuando París se convierte en el centro mundial de la diversión, dejando a un lado su prestigio cultural, la burguesía colaboró en el invento de los music-hall que competirían con los viejos café-concert.

Los hombres acuden al Music-Hall, no tanto para ver un espectáculo como para conocer a las *vedettes* de moda. Y ellas, a su vez, se hacen famosas como cortesanas de lujo. Tal vez éste sea un momento clave en la historia de la mujer. El primer momento en el placer exhibicionista de su propio cuerpo. Es un cuerpo para exhibir, no un objeto para ocultar debajo de las sábanas conyugales. Además, amigas de personajes poderosos, obtendrán ellas mismas poder y cuántas veces su influencia no habrá sido decisiva para su época histórica.

En esta época se hablará con admiración de ellas en todos los círculos sociales. Son las cortesanas de lujo y del escándalo que debutan en el *Folies-Bergères* y de las que, en los círculos de reuniones masculinas se comentarán sus extravagantes escapadas eróticas con príncipes, reyes y hombres de grandes negocios. Mujeres que, evidentemente, pondrán sus encantos al servicio de su propia ambición y de su inteligencia en la generosa recompensa de las grandes fortunas. Para mayor publicidad, provocarán duelos y serán causa de sonoras separaciones matrimoniales.

Es como una especie de revancha histórica en contra de sus enemigas de siempre, las respetables y virtuosas casadas. Estas mujeres odiadas a muerte por las esposas en general, deseadas por los hombres importantes de la sociedad, utilizaron sus virtudes unas para salir de la miseria y la inevitable prostitución y otras para enriquecerse a costa de los hombres. Muchas consiguieron, gracias a la variedad social de sus protectores, auténticas fortunas, mientras algunos de sus más fervientes admiradores quedaron arruinados.

Aunque en la España de 1920 triunfa la ópera en la alta sociedad, la zarzuela, considerada como un género chico, se inserta profundamente en el pueblo. El llamado género ínfimo es aplaudido por las clases alta y baja, que recuperan las *variétés* de los *cafés concert* y los teatrillos. Quizás es en este género chico donde se anuncia la transformación del cuplé a los tópicos tan caros para el pueblo de lo que sería posteriormente la canción española. El cuplé a la española, heredero directo del *couplet* francés, incorpora a su música las tonadillas y el andalucismo. Acaba de desaparecer el alegre cuplé desenfadado y picaresco que se convertirá en un híbrido, según Ángel Zúñiga, «entre la gitanería de Pastora Imperio, la comprensión civilizada de la Argentinita y que concluirá con el gran boom de la Fornarina, de la Goya, de Mercedes Serós, de Raquel Meller o de Pilar Alonso. Esta edad de oro de las *variétés*, del cuplé, durará hasta el glorioso «alzamiento» nacional. El folklore sustituirá con una alta puntuación de decencia a la pecaminosa vida alegre de los music-halls. Conchita Piquer y sus imitadoras serán el placebo de Franco contra el extranjerizante cuplé. Vendrán la Bella Chelito, Pastora Imperio, Carmen Flores para vestirse de nacional sindicalismo y actuando siempre de cara al Pardo. A partir de Franco, Madrid se convierte en la capital del género ínfimo y la Barcelona separatista o independiente recrea figuras locales con un tipo de canción aflamencada que encaja mejor con su sensibilidad abierta y libre. Los espectadores ya no serán nobles ni aristócratas. Serán los nuevos altos funcionarios. El cuplé español a partir del franquismo se someterá a las características morales del régimen y a la patriotería de los pregoneros de Franco.

Las letras de las canciones tendrán las constantes de la raza: la fidelidad y la infidelidad, el mal de amores, los cuernos, la «malpagá» y la bienpagá. Todos los males de una sociedad encarcelada entre las rejas de unos amores reprimidos y tan prohibidos como deseados.

Atrás quedaban la Fornarina, la Goya y casi Raquel Meller. Atrás quedaba la ironía, la insinuación, la picaresca. Atrás quedaba la desvergonzada y liberadora sorna de aquellas mujeres que se reían de los hombres, mientras de ellos vivían.

Ángel Zúñiga, en una entrevista sobre el cuplé, en uno de sus viajes a Barcelona, decía: «El acierto de la Fornarina consistió en traer a España modos y maneras desconocidos. De París, al igual que de cada uno de sus viajes, volvía con el cabello más claro, más rubio, hasta imponer la moda de que la mujer española se aclarase la caballera a base de unos lavados con manzanilla y agua oxigenada.» Y se reía, se reía del mundo de los hombres: «Entre los paisanos y los militares / me salen a diario novios a millares / Como monigotes vienen tras de mí / y a todos les hago que bailen así.»

Y se reían de sí mismas. ¿Puede pedirse más?

En una gran entrevista a Raquel Meller realizada en el Trianón Palace, le preguntaron:

«—¿Qué le parece la Goya?

»—Como modista no está mal.» (La Goya había inventado un traje distinto para cada canción.)

»—¿Y Carmen Flores?

»—Un caballo loco en una cacharrería.

Carrillo: «Lo de la mujer es asunto de mujeres»

Rafael Alberti, Ramón Moix, Teresa León, inolvidables tardes en el Trastevere romano. Estado de excepción en España.

Al revuelo estudiantil sigue el revuelo feminista. Primeros intentos (foto Colita)

Las violaciones constituyen el primer revulsivo feminista (foto Colita)

Victoria Kent no abandona y dirige «IBERICA, por la libertad», desde el exilio que nunca acabó.

POR LA LIBERTAD

En este número

VOLUMEN 22, No. 5 *precio 50c* 15 DE MAYO, 1974

Federica Montseny, desde Toulouse, seguirá con su pluma contra Franco.

Hebdomadaire Organe des Unions Régionales de la C.N.T.f.
Portavoz de la C.N.T.-E.
Redacción y Administración C.N.T. 4, rue Belfort - 2e 31000 TOULOUSE
N° 938 22 de febrero 1981

Panorama mundial

ESPAÑA EN LA ENCRUCIJADA
LA CURIOSA ESTRATEGIA DEL P.C. FRANCES
PUEBLOS SUPLICIADOS

Por Federica MONTSENY

España vive un momento crucial en su historia. La dimisión de Suárez puede marcar una nueva orientación en su línea política. No significa esto ciertamente cambios esenciales para el orden social en nuestro pueblo, ya que, aún en el caso —improbable— de que los socialistas fuesen encargados de formar gobierno, nada de hecho cambiaría.

Pero las mismas condiciones del cambio político pueden influir en la manera de resolver el problema de la sucesión.

Se insiste en las presiones ejercidas sobre el rey para que «aconsejase» a Suárez la dimisión. Iglesia y ejército están inquietos por diversos motivos; todos, sin embargo, coincidentes. Ni los unos ni los otros quieren que se llegue demasiado lejos en el aspecto de las autonomías, en la enseñanza y en la justicia. Esto explica las exigencias del ala derecha de U.C.D. que quieren los Ministerios de Educación y de Justicia en el próximo gobierno que se constituya, negociando su apoyo a Calvo Sotelo o a otro.

El rey gana tiempo, demorando la elección y asegurándose prestigio personal, con ese viaje espectacular a Euzkadi, afrontando «heroicamente» —rodeado de nubes de guardias civiles, de policías y de soldados— Erri Batasuna, E.T.A. y demás vascos encolerizados en torno al árbol de Guernika.

Después de esta hazaña, se considerará con derecho a decidir como le aconsejo su real gana —y sus consejeros, en la primera línea de los cuales está su padre D. Juan de Borbón.

Lo que hemos de dar por descontado, es que el giro será a la derecha, que se intensificarán las ofensivas policiales contra E.T.A. y demás movimientos considerados «terroristas» y limitando las concesiones autonómicas, que sacan de quicio a los militares.

Se habla mucho de la estancia de Terradellas en *Madrid*, sin duda dispuesto también a aconsejar al rey.

Sea cual fuere la solución política dada al problema de la sucesión de Suárez, las perspectivas son siniestras. El paro prosigue su ascenso galopante. La inflación idem. Y las huelgas no tienen semblante de disminuir, dada la exasperación de los trabajadores, cuyo nivel de vida baja constantemente, en proporción a lo que es el alza vertiginosa de las subsistencias, y de todos los bienes de consumo.

Y lo trágico, para España, es que no hay hoy ninguna fuerza capaz de imponer soluciones revolucionarias. Si los fascistas no tienen apoyo logístico sobre el cual confiar —aparte el peligroso Reagan, cuya salud mental es puesta cada día en duda, después de su alocada intervención primera ante las cadenas de televisión y la Prensa americana— la izquierda no está en mejores condiciones para afrontar una batalla.

La obra del franquismo, sembrando el individualismo más negativo, la «despolitización», la indiferencia y la duda, da sus frutos aún ahora, en que se hacen difíciles las movilizaciones populares.

Veremos cómo saldremos de esta encrucijada. No es posible hacer pronósticos en ningún sentido.

* *

Para el observador objetivo, que examine desde afuera la estrategia del partido comunista francés siempre será un misterio el cómo y el porqué de ciertas campañas de Marchais y sus amigos. Por ejemplo, ahora asistimos a un curioso cambio de esloganes. Después de atacar a Mitterrand y los socialistas de todas las maneras, bruscamente el tono cambia. Se declara que el objetivo principal es batir a Giscard d'Estaing y a las derechas. Pero que exigirán la presencia de ministros comunistas en el gobierno que se constituya.

Lo que es una nueva manera de fastidiar la candidatura de Mitterrand, enarbolando ante la izquierda moderada el espantajo del comunismo, que saben surte efectos de inquietud y de retroceso en cierta parte del electorado.

Dicho claramente: con estas singulares declaraciones, contribuyen a dar votos a Giscard. Los votos del miedo que ellos mismos suscitan.

Sin querer pecar de malintencionados, ¿quién dejará de pensar que estamos ante otra maniobra que revela la alianza «objetiva» entre el P.C. y la derecha francesa?

Los comunistas no quieren gobernar —ni pueden—. Pero no quieren que de ninguna manera gobiernen los socialistas. A un gobierno socialista prefieren el centro derecha con el que han pasado ellos deben saber qué pactos y compromisos.

¿Está Moscú detrás de esta estrategia? ¿Es Rusia la que aconseja esta línea al partido comunista occidental que aparece como más allegado a la disciplina soviética?

En todo caso, Mitterrand tiene comprometida su elección a la presidencia de la república. Con razón podría cantar la copla española: «Ni contigo ni sin ti mis penas tienen remedio. Contigo, porque me matas y sin ti porque me muero».

Sin los comunistas no pueda ganar. Con ellos está seguro de perder.

* *

Hablábamos en un *Crónica* anterior de los nuevecientos asesinados en el Brasil por el siniestro Escuadrón de la Muerte. Una noticia, dada hoy en radio y televisión, nos produce escalofríos.

En las costas del Mar del Plata, el agua arroja a la playa cadáveres de hombres y mujeres con huellas de horribles torturas. Una emisión televisada nos hace escuchar el testimonio de niños de El Salvador, narrando la manera como vieron asesinar a sus padres.

Es una verdadera orgía de sangre, de crueldad, de barbarie, la que se está produciendo en El Salvador, en Argentina, en Bolivia, en Guatemala, en todos los países sudamericanos, cotos de caza reservados de los U.S.A.

La ascensión al Poder de Reagan, en Estados Unidos, no hará más que agravar la situación de esos países. La nueva administración americana ya ha declarado «que ayudará las dictaduras del Sur en su lucha contra contra el comunismo, empezando por modificar la política de la administración Carter en lo que respecta a El Salvador».

Ello reforzará a los Videla, Pinochet, Figueredo, García Meza y demás foragidos con uniformes que están asesinando a mansalvo estudiantes, obreros y campesinos en El Salvador, en Guatemala, en Bolivia, en Chile, en la Argentina, en Uruguay, en Paraguay, etc.

De lo que menos se trata es de combatir al bolchevismo, al castrismo. Lo importante es impedir la toma de conciencia de las masas obreras y campesinas del Sur de América, allí donde los U.S.A. tienen sus grandes intereses y posibilidades infinitas de expansión y de explotación, de acuerdo con las oligarquías locales.

La «gran democracia americana» ayudará a todos los verdugos de esos pueblos supliciados, sin que las protestas de los organismos internacionales, de Amnesty, de la Liga de los Derechos del Hombre, de la Comisión de Juristas, del Comité Russell puedan hacer gran cosa.

Este drama de la impotencia es la tragedia de nuestro tiempo, nuestra gran vergüenza, nuestra abrumadora responsabilidad ante la historia... ¿Tenemos de ello conciencia?

F.M.

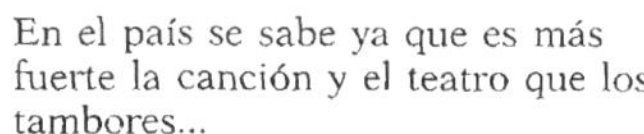
En el país se sabe ya que es más fuerte la canción y el teatro que los tambores...

Julia León, (foto Joaquim Llenas).

Marina Rossell.

María del Mar Bonet («Qué volen aquesta gent...»), foto Colita.

Elisa Serna.

Raimón («La nit... que es llarga la nit») foto Colita.

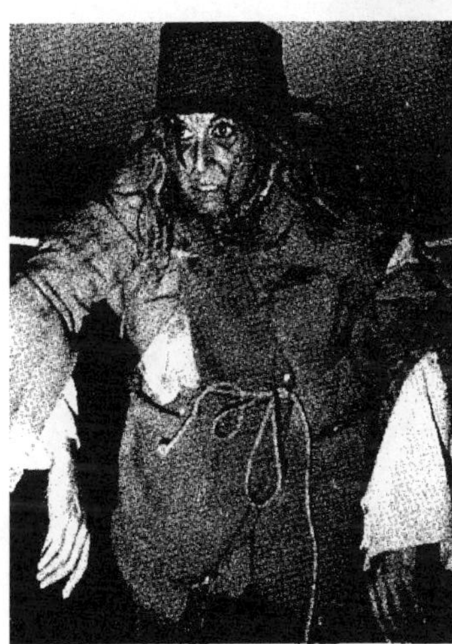

Elisenda Ribas, «Ronda de Mort a Sinera (fotografo Alcayna).

A partir del encarcelamiento de Lidia Falcón se organizan diversos frentes feministas de solidaridad.

En el local de los Amigos de las NN.UU. las mujeres se reúnen: la periodista Amparo Moreno, el despacho de la abogada laboralista, Montserrat Avilés, con Manuela Carmena, Nuria Pompeia, Laura Tremosa, Anna Balletbó.

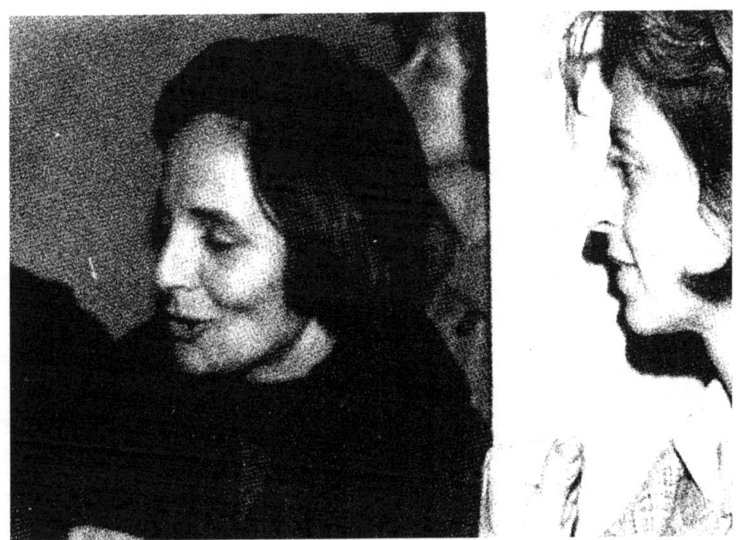

Nuria Pompeya en un gesto característico...

Discusiones feministas en el «Diario Femenino»: Concha Alós, Susana March, Eva Forest.

El asesinato de Txiki y de Puig Antich conmueve Barcelona. Magda Oranich, Marc Palmés han velado la noche infernal de Puig Antich.

«Vindicación Feminista» inicia su aventura: Lidia Falcón, Empar Pineda, Montserrat Roig, Soledad Balaguer, Ana maria Moix, Carmen Alcalde... (foto Colita).

Maria Aurelia Capmany ataca «Vindicación Feminista»... No conviene separarse de los partidos...

Teresa Pamies una voz necesaria desde el exilio, una voz imprescindible a su regreso.

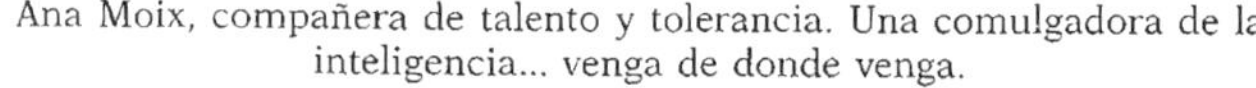

Ana Moix, compañera de talento y tolerancia. Una comulgadora de la inteligencia... venga de donde venga.

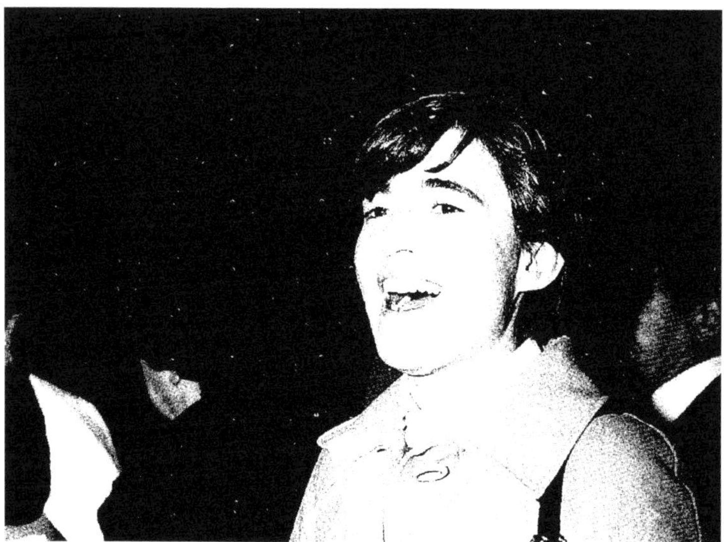

«Vindicación Feminista» se presenta en el Tinell. Lidia Falcón, Carmen Nadal y «Lieta» de Palma de Mallorca han pasado nueve meses en la cárcel por el atentado de la calle de Correos. ¡Inocentes! (foto Colita).

Tras la amarga experiencia de Vindicación Feminista, Lidia no se acobarda y crea el «Partit Feminista».

.os hombres buenos. Jordi Llimona decía en los años 60 que las mujeres podían ser sacerdotes.

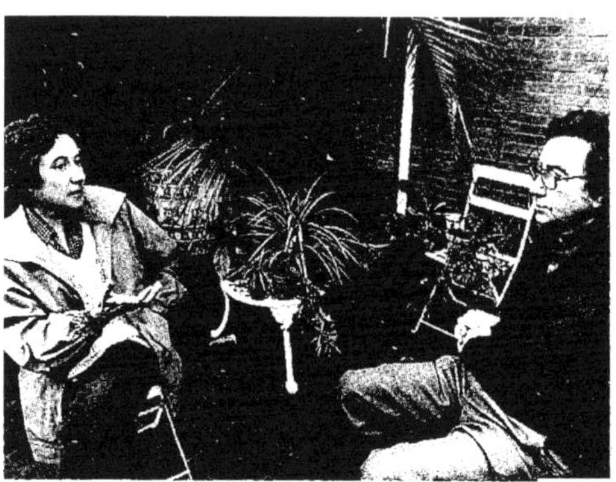

Antonio Tapies: siempre se le encontró en cualquier apuro.

Joan Oliver, se rio de todo... menos de la mujer (foto Pilar Aymerich).

Salvador Espriu, adoró a las mujeres inteligentes (foto Montse Faixat).

»—¿Y la Argentinita?

»—Una máquina de coser ta-ca-ta.

«—¿Y Pastora Imperio?»

«—Ésta canta por decreto.»

Por decreto. En la España derrotada con la «sombra alargada del ciprés» se ha terminado el género sicalíptico de las cupleteras. La grosería machista de los nuevos hombres del Caudillo creerá ver en la chispa y en el «duende» del «Ven y ven» los siete pecados capitales. Todo ello tiene que incorporarse con urgencia al «índice» de la diversión. Tabla rasa y vestidas a tope para que resultara imposible encontrarse la pulga en el cuerpo. «Aquella historieta simple, aquella poesía breve y simple, como un aire que pasa y nada más que eso», como diría Ángel Zúñiga, ya no excitará a la España grosera, militar y gobernadora del Caudillo. «Los ministros... ¡Esos sí que son *verdes y atrevidos*!», decía la Bella Dorita.

Muerto el cuplé, terminado el buen humor y la gracia de unas mujeres, en su mayoría nacidas en la miseria, pero con la suficiente autoestima para no abocarse a la prostitución, llegará la canción española, andalucista y aflamencada apta para censores y protectores de la familia. Se pondrá de moda la tonadilla del pasodoble y María de la O... Y el cine colaborará en el desastre: Imperio Argentina, Estrellita Castro y películas cuyos títulos lo expresan todo: «Nobleza baturra», «La patria chica»... mientras la inevitable Conchita Piquer cantará a gritos la tragedia de los celos y del adulterio: «Yo soy la otra, la otra / Y a nada tengo derecho / porque no tengo un anillo / con una fecha por dentro.»

Como dirá Manuel Vázquez Montalbán en su libro *100 años de Canción y music-hall*: «De haber tenido la canción nacional mejores condiciones de desarrollo hubiera sido la génesis de un género totalmente diferente, pero equivalente al de la canción francesa... No está tan lejos de ella una canción tan extraordinaria como «Tatuaje» más allá y más aquí del mal establecido en los años cuarenta.»

Pero no. No hubo mejores condiciones. Y todos, y las mujeres más, claro, nos quedamos con «las sienes moraítas de martirio», los celos, la malpagá, el aborto, la puñalá. Y así será como los teatros de *variétés* se convertirán en el lumpen de la escena, el reducto de una diversión que deberá ser compartida como mandan Dios, el Caudillo por la gracia de aquél, por la pareja institucional. Ya no será la envidia sino la lástima y la compasión lo que se apoderará de los tiernos corazones de las biencasás. Las cosas de nuevo en orden.

XI
AHÍ ESTÁN, AHÍ ESTÁN

«Apertura» en 1974. En la revista *Ibérica* de Victoria Kent, editada en Estados Unidos, su directora recogía un suelto de la revista mexicana *Siempre* en cuya portada se representaba a Franco en el palco presidencial de una plaza de toros, junto a Arias Navarro después de haber abierto el toril, todavía llaves en mano, y a un toro, tamaño locomotora, que sale disparado, echando espuma por la boca. La divisa lleva los colores de la bandera de España. Y sobre la puerta del toril hay un letrero que dice «Apertura, 1974».

«Lo que todo esto significa es evidente: Arias Navarro anunció en su discurso de las Cortes que estaba dispuesto a llevar una política «aperturista», como ahora se dice, y lo que ha salido realmente no ha sido la blanca paloma de la paz, sino una bestia carnicera», diría la escritora en el exilio.

Me adelanto en el tiempo cronológico para intentar llenar los vacíos de tantos años de silencio tras el exilio de los 40. Victoria Kent, abogada y ex directora de prisiones, uno de «los valores más altos de la intelectualidad femenina» —según palabras del periodista de *Crónica*, Pedro Masa— «cuya palabra se empapó de ternura, se hizo blanda, confortadora para hablarnos del niño que en estos momentos, perdido el padre en el frente, y que no tiene otro auxilio, ni otro pan que los que quieren ofrecerle la obligada generosidad de los hombres de bien...».

Victoria Kent declaraba en aquel fatídico 1936: «Hemos recogido pequeñuelos que nunca se habían acostado en una cama, ni aun en un colchón y poco menos que llorando nos pedían no volver más a su choza con sus padres. Esto no puede continuar en España. Esto ha terminado en España. Y ha terminado porque las mujeres queremos que termine...»

Victoria Kent, la brillante intelectual socialista aparcaba su enorme potencial como escritora, como mujer pública, como imprescindible talento para los socialistas para entregarse a la causa más urgente en la que los hombres de la guerra no entraban porque aquella era causa de mujer. Cinco mil niños se refugiaron en las guarderías creadas por la diputada socialista, por la directora general de prisiones. Y así, siguiendo de nuevo los esquemas machistas de su partido, arengaba a las mujeres: «Recoged en vuestro propio hogar a los hijos del combatiente. Haced algo que tenga realidad tangible para nuestros hermanos que luchan silenciosamente en el frente, vencen y mueren también.» Con una actividad impropia quizás de una pensadora política, hizo llamamientos a todos los dirigentes y representantes de los partidos y las organizaciones sindicales, con el fin de proteger a las niñas y a los niños de una situación de barbarie que inducía a los pequeños a crear sus propias armas, sus pequeños ejércitos, sus apasionadas batallas, jugando a la guerra al igual que los hombres. Victoria Kent sería contundente: «Todo esfuerzo será poco si conseguismo apartar al niño de esta infame realidad, si conseguimos que no se pervierta su espíritu... ¡Ejércitos de niños, jamás! El odio despertado por nuestros enemigos que lo consuma esta generación, que lo entierre esta generación. A los niños inculquémosles la generosidad del trabajo, la obligación de levantar una España nueva bajo un ideal común.»

Se marchó, tuvo que huir Victoria Kent de España: «Seguí al gobierno en su éxodo, tanto en Valencia como en Barcelona» —me escribiría en una de sus cartas, en 1974—. «Empezaba la evacuación de los niños de familias republicanas y el gobierno me comisionó atender estas evacuaciones en Francia, con el cargo de Primer Secretario de la Embajada en París...»

Terminada la guerra civil y hasta comienzos de la II Guerra Mundial Victoria Kent y Federica Montseny pudieron ayudar a sacar a refugiados españoles de los campos de concentración franceses. Se valieron del rango de sus cargos en la República Española para ejercer toda su influencia. Se valieron de sus propias capacidades de organización, de sus luminosas inteligencias. Ambas lo han descrito larga y apasionadamente en sus libros sobre el exilio. Federica, como ya he relatado, en *Pasión y muerte de los españoles en Francia*. Victoria lo explica en el libro *Cuatro años en París*.

Durante aquellos cuatro años de ocupación nazi, en París, gracias a estas dos mujeres —y a muchos otros antifascistas, por descontado—, fueron muchos los españoles que pudieron librarse del espantoso terror de Hitler, terror añadido al terror de Franco.

Victoria Kent, terminada la Guerra Mundial se marchó a México invitada por el rector de la Universidad de la ciudad de México para fundar la Escuela de Capacitación para el Personal de prisiones. En 1949 sería requerida por las Naciones Unidas en Nueva York como colaboradora de Defensa Social. A partir de 1954 lanzaría, con la ayuda de intelectuales americanos y españoles en el exilio, la revista *Ibérica*. A partir de este momento, recuperada como mujer intelectual, al margen de los «servicios prestados» al antifascismo, con su esfuerzo inagotable, se dedicará a poner todos sus recursos en favor de la libertad.

Federica Montseny, la otra gran intelectual, escritora y periodista de la que, gracias a su pluma, hemos podido conocer y reconocer su trayectoria vital, instalará su cuartel general en Toulouse —pionera en los locales de la CNT de la creación de varias revistas, libros y propaganda—, en el sur de Francia, demasiado cerca y demasiado lejos a la vez de su país.

Si bien la historia se ocupó de borrar y silenciar muchos otros nombres de mujeres de gran talla intelectual y política, no pudieron, ni los fascistas, olvidarse de tres mujeres que todavía hoy siguen siendo el símbolo de lo que fue la mujer española, en sus diversas organizaciones, en los trágicos momentos de la guerra y en los no menos trágicos del nazismo. Hay, sin embargo, que incidir en el «tic» histórico, en el tópico cuando se habla de Dolores Ibárruri, de Federica Montseny o de Victoria Kent. Si bien es cierto que su palabra ha permanecido indeleble, porque se apresuraron a escribir su memoria sin esperar, consciente o inconscientemente, que lo hiciera alguno de sus camaradas por ellas. Fue su mejor momento para interpretarse a sí mismas y analizar sus propios roles. Pero el encendido antifeminismo que se recrudece en los conflictos armados y en las prioridades de las masas en los conflictos sociales, también a ellas las tocó demasiado cerca. No seguiré, en este trabajo, recreándome en las lamentables arengas pronunciadas intermitentemente por todas ellas respecto a la mujer. Al fin y al cabo tampoco, en el transcurso de los años del franquismo, las mujeres que iban surgiendo en la clandestinidad en su loable esfuerzo de reorganización antifranquista, fueron capaces de realizar un análisis ni riguroso ni justo del antifeminismo de los partidos.

Todavía no hemos sido capaces ni las mujeres ni los hombres de ponernos en serio a discutir sobre la condición femenina. Y cuando hago esta afirmación tan rotunda no es por el impulso de un coraje que, a fin de cuentas, viene marcando todas las experiencias vitales de todas las mujeres. Lo hago desde el sosiego y desde cierta perplejidad ante el hecho consumado de que cada mujer, para sobrevivir, es decir para vivir en plenitud como ser humano, se ha visto sumergida una y otra vez a lo largo de la historia; que, en efecto, era un ser humano original y activo en cada etapa de su tiempo, pero que asumió un extraño destino divino o diabólico: la obligación de hacer suyos todos los mitos de los hombres en lo que concierne a la naturaleza femenina.

Los momentos de las organizaciones clandestinas en este país coincidieron con el rebullir de un incipiente feminismo que los partidos combatieron con inusitado rigor. En realidad se recuperaban los mismos defectos de la guerra. Antes era preciso salvar la revolución, el proletariado. Ahora, en los años 70, lo primero era desterrar el franquismo, terminar con el franquismo. Otra vez, el agravio ancestral cometido por la humanidad contra la mujer era eso, tan ancesdtral que ya no le venía de un tiempo. Las pocas mujeres de los partidos que intentaron la doble lealtad de ser militantes políticas y militantes feministas fueron de entrada observadas, vigiladas cuidadosamente por sus propios compañeros, quienes no tardaron en anatematizarlas, en separarlas de sus organizaciones porque representaban un estorbo. El grano que les picaba para mantener en pie el gran hito común: Terminar con el franquismo. Y eso se lo siguieron diciendo a las mujeres de los partidos que dejaron solas a las mujeres comprometidas también y quizás sobre todo en la convicción de que el triunfo del proletariado, que la guerra de clases, iba a ser el detonante de una posterior liberación de la mujer.

Como es sabido, no ya mediante la razón, sino al paso de las frías estadísticas, muerto Franco, las que militaron en los grupos políticos tuvieron su lugar en las listas de secretarias de sus camaradas, o en la decoración de las campañas electorales. Hasta sentarse en algún ministerio, en alguna alcaldía y en alguna dirección general (la tramposa cuota del 25 por ciento que puso tan contentas a las elegidas), pero que también a su vez puso de nuevo en guardia a las feministas que contemplaban con desilusión que tampoco en esta ocasión podrían alcanzar desde el poder la igualdad de sexos. Y este vicio consentido por hombres y mujeres, imbuídos ahora de aquella solemne imbecilidad de Jean Paul Sartre, uno de los más brillantes pensadores europeos, de que «la mujer era mitad víctima-mitad cómplice», seguirá desgarrando el espíritu femenino. Víctima y cómplice. ¿Pero cómplice de qué y, sobre todo por qué? ¿Por qué ninguno, ni el mejor intencionado de los hombres, ha sido capaz de reconocer que eso de la complicidad de la mujer es algo que se le ha inculcado ya en el vientre materno?

Con todos los avances indiscutibles que ha conseguido la mujer en los países industrialmente avanzados (dejemos a un lado y no sin gran dolor la situación de quinto sexo que viven las mujeres en los países denominados pobres): derecho al divorcio, al aborto, a un trabajo algo remunerado cuando se demuestra valer el doble que el contrario; con todos los avances, ¿no sigue hoy la mujer sin una pizca de poder, dependiente de la generosidad, de la protección y el paternalismo de los hombres?

Nunca nos han dejado ser una fuerza revolucionaria por motivos propios, aunque también es cierto que no han faltado hombres, verdaderos amigos de las mujeres, al servicio de nuestra causa. Y el falocratismo está terminando con nuestras propias fuerzas, dominando el mundo mediante las técnicas hoy dominantes. Somos una mascota para esta sociedad multimedia que nos inunda. Un subproducto del confusionismo americano. El mundo de los hombres no ha comprendido todavía, sigue perdiendo de vista aún que en el seno de la lucha de clases, de las luchas raciales, siguen existiendo nuestros intereses específicos y que éstos deben ser defendidos con igual pasión junto a todas las opresiones.

Me he referido con frecuencia a lo largo de este trabajo a las tres mujeres que brillaron por derecho propio en nuestra guerra civil y a las que se les reconoció un papel determinante en la contienda: Dolores Ibárruri, Federica Montseny y Victoria Kent. Las dos últimas consiguieron su propia luz en la palabra que nunca cesó. Pero Pasionaria, quizás debido a su escasa preparación intelectual, Pasionaria, la más famosa entre todas las mujeres antifranquistas, fue en efecto mitad víctima y mitad cómplice de un partido que sólo supo valorar y explotar la trayectoria insólita de una mujer excepcional.

Pasionaria nace en 1895 el 9 de diciembre en Gallarta (Vizcaya), justo el mismo año de la muerte de Federico Engels y en el que Lenin se convertirá en el jefe de la sociademocracia rusa. Educada en la religión pronto se sentirá conmovida por las huelgas mineras que se producen en su infancia. Y pronto tendrá que ponerse a trabajar en el servicio de un bar de su pueblo natal porque no puede seguir sus estudios por falta de dinero. Casada con Julián Ruiz, entrará de lleno en la causa del marxismo ayudando incluso a la fabricación de bombas para los huelguistas, desde sus conocimientos familiares de minería. Empieza a escribir, bajo el nombre de Pasionaria, en *Bandera Roja* y mantiene una gran actividad subversiva contra la Dictadura de Primo de Rivera.

Un dato sumamente curioso e importante para esta historia se producirá en 1934, cuando preside el Primer Congreso de la Organización Nacional de Mujeres contra la guerra y el fascismo. Los comunistas empiezan a entrever el enorme capital que representará la mujer para la guerra. Pasionaria, en efecto, seguirá el camino asignado a las mujeres de la guerra ocupándose de los niños huérfanos... aunque poco a poco se desmarcará claramente de estos «oficios propios de mujer», convirtiéndose en una importante agitadora de masas. Su voz ronca, su silueta larga y negra, la nobleza de su rostro arrastrará a la multitud en sus mítines. Uno de los más cruciales será el de la Puerta del Sol, en el momento del estallido de la guerra, cuando llama al pueblo a la resistencia con su mítico grito de guerra: *¡No pasarán!* Su actividad será febril. Visitará los campos y regimientos de los combatientes alentándoles con las palabras oportunas, convertidas por mucho tiempo en eslóganes revolucionarios. «Más vale morir de pie que vivir de rodillas.» Pasará en diversas ocasiones por las cárceles españolas y, como hijos y revolución son incompatibles, mandará a Amaya y Rubén a buen recaudo en Moscú.

El último acto todavía como miembro destacado de la República será su asistencia, como vicepresidente de las Cortes, a la primera reunión de la Diputación Permanente en el exilio, el 31 de marzo de 1939, un día antes de que entren en todos los hogares, a través de los altavoces y de las radios, las fatídicas palabras del Hitler español: «La guerra ha terminado.»

Al igual que Victoria Kent y Federica Montseny, Dolores Ibárruri se ocupará activamente, primero, de la evacuación en París y luego de la ayuda a los exiliados españoles en la URSS. Una vida frenética de discursos, mítines, participaciones en los congresos comunistas y en los congresos de las mujeres antifascistas. Su voz se escucha en Radio Independiente y espera, espera como todos, la muerte de Franco: «Es el amanecer de una España en que el pueblo será el principal protagonista.» En España se empieza a oír y a corear: «Sí, sí, Dolores a Madrid.» El PCE será legalizado... en 1978. Pasionaria dará un rotundo SÍ a la Constitución.

La figura de Pasionaria ha sido la más nacional y universalmente conocida de todas las mujeres que se pueden citar en la historia de la guerra y del franquismo. Su personalidad era tan carismática que fue elegida, en sacrificio de cualquier vanidad masculina, por sus propios correligionarios y enaltecida durante más de cincuenta años, como mujer-bandera, como signo emblemático del partido, la Blancanieves de los enanitos, como diría felizmente Manuel Vázquez Montalbán. Aun situada en uno de los espacios más altos, se dejó —¿Cómplice? ¿Víctima?— utilizar por los hombres de su partido. No se escapó pues, ni ella, de una certidumbre: Los destinos que los hombres trazan para las mujeres, son inextricables.

Tras la inevitable y comprimida versión de estas tres mujeres no escogidas al azar sino por su importancia capital en la historia de la revolución española y en la historia del exilio español siguen otras personalidades de mujeres de grandes dotes intelectuales que dieron su vida y su sangre por la causa de la revolución. Mujeres de las que yo misma seguí los pasos a través de la prensa republicana y clandestina. Mujeres que han ocupado la más rigurosa y apasionada atención de la historiadora Antonina Rodrigo. Mujeres en los campos de exterminio nazi con las que tuvo el honor de conversar Montserrat Roig. El libro precursor "La mujer en España", de Mireia Bofill, M.ª Luisa Fabra, Ana Sellés. Mujeres que historió María Aurelia Capmany, en la *Dona a Catatalnya* y Mary Nash en *Mujeres Libres*, Lidia Falcón, en *Mujer y Sociedad* cuya trayectoria política e intelectual, cuyo pensamiento, se ha puesto siempre al servicio de la lucha por la liberación de la mujer... A ellas les debe la historia nada menos que el conocimiento de la mitad de la humanidad. A ellas y a sus trabajos me remito y me sumo con toda la fidelidad de mi propio compromiso.

XII
MUJERES CONTRA FRANCO

Pero el homenaje sentimental-intelectual-emotivo pretendido en este trabajo creo que ha sido cumplimentado con creces por otras historiadoras de mi generación a las que acabo de mencionar con el reconocimiento de solidaridad en una tarea común, clara y decidida de no dejar pasar la historia, de paso, sobre sus personalidades que es tan difícil reencarnar en nuestra sociedad masculina actual. De ellas ha hablado con minuciosidad y con la pasión inevitable de su sexo, Antonina Rodrigo. Yo lo intenté antes en el mencionado trabajo de la *Mujer en la Guerra Civil.* Y no quiero decir que fuera una precursora. Quiero decir que fui una tímida analfabeta en este aspecto en quien la curiosidad y la revelación produjeron una promesa solemne de no olvidarlas nunca. Antonina Rodrigo fue mucho más consecuente en su propósito y las páginas de su libro *Mujeres de España, las silenciadas* (Plaza Janés, 1979) superan con creces mi primer intento. La lista de sus personajes, ella lo sabe bien, no es exhaustiva pero es largo el intento de retratar la mayoría de las que fueron. Por ello me remito a recomendar la lectura de su libro. Por razones de urgencia, por un compulsivo deseo de que nada se pierda de los archivos recogidos por Antonina.

Muchas veces me he preguntado cuál era el objetivo de la historiadora amiga en su esfuerzo por alzar las voces de sus mujeres silenciadas. Creo con firmeza que a ella, y a Mary Nash y a Lidia Falcón y a Montserrat Roig y, últimamente a Rosa Montero nos ha ganado el peso de la responsabilidad de saber que sabíamos de su existencia y de la injusticia del silencio.

Para comprender el largo silencio de las mujeres del que habla Antonina debemos remontarnos a doña Emilia Pardo Bazán, una de nuestras pioneras, quien, a pesar de ser ella una especial privilegiada, se ocupó de la situación de la mujer de su tiempo. Tras reconocer el paso de las «ínclitas mujeres» del Renacimiento reconoce taxativamente que las mujeres del siglo XVIII y, sobre todo, del siglo XIX sufrieron en su conjunto «la pérdida de los antiguos ideales y la imposibilidad de reemplazarlos por los nuevos ideales, patrimonio del hombre. Resulta entonces que mientras el hombre ha ganado en derechos, libertades políticas y posibilidades de acceso a la cultura, la mujer se ha quedado atrás, sin más papel que custodiar las virtudes familiares, ser ignorante y pasiva. Los mismos que pregonan el progreso le niegan a la mujer toda posibilidad de progresar, confinándola en las actividades domésticas y en la vieja regla de la *pierna quebrada*».

La escritora gallega de finales del siglo XIX reclamaba para sus compatriotas lo que precisamente ella había conseguido: un lugar en la historia y en la cultura del país. Un lugar importante, que sus contemporáneos no pudieron negarle, a pesar de ser una mujer. Sin embargo, ni ella misma consiguió ingresar en la Academia de la Lengua, pues su candidatura fue rechazada en dos oportunidades por llevar sobre su persona lo que ella misma definió como «el pecado original de ser mujer». Más tarde, una vez hubo renunciado al simbólico sillón, dedicaría grandes esfuerzos a que se admitiera a su admirada Concepción Arenal, a pesar de intuir por adelantado que su propuesta iba a ser denegada por la fuerza de la singularidad de su sexo. Y para combatir la generalidad de los prejuicios de los señores académicos contra la entrada en lugar tan sacrosanto escogió las mejores palabras de la ya anciana autora del *Visitador del pobre:* «Nos parece más fácil hallar chistes para ridiculizar nuestras ideas, que razones para combatirlas. El ridículo tiene su esfera de acción activa, pero limitada, y no llega a las regiones del entendimiento en que de buena fe se busca la utilidad por las vías de la justicia. El ruido de las carcajadas pasa; la fuerza de los razonamientos queda: toda persona sensata sabe que suelen pensar poco los que ríen mucho.»

La época de la condesa de Pardo Bazán fue la época en que un sufragismo virulento y justo había sumido a Europa y América en el estupor ante la furia de las mujeres militantes. En el estupor de la incomprensión. La sociedad en general no veía con buenos ojos que las mujeres pretendieran darle la vuelta a un mundo establecido, ordenado y planificado para que la mujer cumpliera el mandato histórico de la reproducción. La escritora gallega sintió con fuerza la influencia de John Stuart Mill, quien, nacido en Londres a principios del siglo XIX, dedicó buena parte de su existencia a la condena persistente de la filosofía y la metafísica que cerraba sus puertas a las mujeres. Algunas lenguas retorcidas le atacaron por considerar que el libro *La esclavitud femenina* estaba dictado al servicio de la mujer a quien amó, la señora Taylor, como la llamó enamorado y respetuoso durante más de cincuenta años. Sin embargo, lo cierto es que su obra fue tal vez la más atrevida y la más innovadora, firmada por un hombre que coronaba una labor filosófica, el reconocimiento leal y generoso, la creencia íntima en la igualdad de las mujeres y los hombres... siempre y cuando existieran las mismas bases para su desarrollo.

Stuart Mill no se dejó engañar por los cantos de los viejos mitos fantaseados por los hombres. Supo que ampararse en ellos suponía una gran comodidad. Supo que alimentaban la mente de su época, como había ocurrido a lo largo de la historia. Denunció los prejuicios dirigidos a inteligencias con pocas aptitudes para pensar y con el hipócrita deseo de no mover el *status quo* establecido. Supo que, a pesar de su apariencia inofensiva, se encerraba ese fantasma de la mujer, inasequible por su doble papel de objeto del deseo inalcanzable y de persona de pleno derecho en el gran teatro del mundo. No pudo evitar, sin embargo, ni él ni toda la militancia feminista, que aquellos viejos mitos surgieran con igual fuerza con estos nuevos textos manoseados por los científicos, los antropólogos, los sociólogos, los psiquiatras y los psicólogos en su carrera por tratar al ser humano mujer como a un espécimen susceptible de ser reducido a un número, a un conejillo de indias para sus laboratorios.

En el polo opuesto de la fidelidad a la causa de la mujer defendida por Stuart Mill, aquí la España snob, sin criterio propio, se acoge a la moda con cinismo y con la desvergüenza que siempre caracterizó al hombre-vampiro de este país. Si, en los años veinte toca seguir las trompetas del feminismo, ahí habrá unos hombres dispuestos a no perderse la vanguardia. Ahí estará el señor Martínez Sierra, que embaucará al progresismo femenino con la pretensión de erigirse en el Stuart Mill hispánico. La sutil diferencia entre ambos será el abismo que corta de cuajo las buenas intenciones de uno contra el posibilismo del otro. Yo misma caí en la trampa, al releer en la hemeroteca de nuestros periódicos los escritos del señor Martínez Sierra. Las mujeres nos hemos solido sentir felices cuando el hombre nos ha aplaudido y ha logrado que le sintiéramos como un compañero. Pues bien, este hombre llamado Martínez Sierra logró engañar a las mujeres de su tiempo. «La mujer es la obrera de la vida», diría hace cien años Isabel Gatti de Gammond, la gran feminista belga. El señor Martínez Sierra, con el fin de no perderse la popularidad que en aquellos momentos manda en los movimientos sufragistas dirá cosas parecidas... pero altamente sospechosas de oportunismo. El libro de Antonina Rodrigo *María Lejárrega* (Ediciones Vosa) quitaría la máscara de aquel gigoló del feminismo cuya fama, cuyo éxito dentro de una sociedad especialmente sensibilizada con el tema de la mujer, fue tan tramposo como espectacular. Como recoge Rosa Montero en sus capítulos dedicados a las *Mujeres* en *El País,* Gregorio Martínez Sierra le escribe a su mujer, a la negra de sus libros, María Lejárrega, en unos momentos en que ella se encuentra enferma e incapaz de escribir: «Estoy haciendo esfuerzos inauditos para escribir yo hasta que tú estés mejor. Creo que lo conseguiré más tarde o más temprano. Ya voy perdiendo la timidez para dialogar, porque pienso que lo hago sólo para leerlo yo.» María había empezado escribiendo ensayos y conferencias y libros feministas. Todos con la firma de su marido. Y Gregorio, porque el discurso de su mujer tiene éxito en aquellos momentos, no duda en firmarlos y en declararse el autor de los discursos de su mujer y dirá con toda la impunidad que le pertenece como hombre importante de letras lo que le ha dicho y escrito a su mujer anteriormente al oído: «Las mujeres callan por costumbre de sumisión; callan, en una palabra, porque a fuerza de siglos de esclavitud han llegado a tener el alma de esclava.» Para María, su mujer, éstas son palabras de un realismo desmitificador. Para él son las palabras que pueden convertirle en lo más apreciado, o respetado, o temido de los años veinte: Ser el defensor y el amigo de las mujeres que luchan por encontrar su propia identidad.

Como diría Rosa Montero en su extraordinario repaso de la vida de las mujeres en nuestra historia, también María Lejárrega recuperaría su propia identidad, desengañada del amigo, del marido infiel, en el imposible diálogo intelectual de cada uno de los sexos que representaban: Fue durante la República cuando María recuperó el habla: empezó a dar charlas feministas con su propio nombre y se hizo socialista, y se presentó a las elecciones de 1933. En esas elecciones, a pesar de las consignas de Concepción Arenal, se legalizó el voto femenino. Palabras que pronto fueron silenciadas, de nuevo, a causa de la guerra entre los hombres fratricidas de nuestra España.

Cuando se dio cuenta del engaño y del vampirismo de su marido, María publicó en su *Gregorio y yo* sus memorias y confesaba su autoría de las obras de su marido: «Ahora, anciana y viuda véome obligada a proclamar mi maternidad para poder cobrar mis derechos.» Y añade Rosa Montero en un lúcido colofón: «aunque el libro es muy respetuoso con Gregorio, enfurecidos caballeros de todo el mundo arremetieron contra las pretensiones literarias de María». Cosas de la vieja solidaridad masculina, como dice con humor Antonina Rodrigo en su imprescindible biografía de Lejárrega. «Quién sabe, tal vez esa ira llena de prejuicios contribuyó una vez más a callar a María. A que se cerraran nuevamente sobre ella las aguas del olvido y del atroz silencio femenino.»

En este quehacer de las mujeres a la sombra de sus hombres, aunque en muchas ocasiones de ellas vivieran y por ellas alcanzaran fama y poder, tras ellos estuvieron muchos insignes cerebros femeninos que la sociedad y la historia desterraron de la existencia científica y cultural con la peor frase que se ha escrito jamás contra la mujer: «Detrás de cada hombre importante, hay una mujer...»

Como para escribir este libro he querido alejarme de

cualquier orden y concierto, ni cronológico ni siquiera razonable en cuanto a desenmascarar los tópicos y los prejuicios de la historia contra la mujer, y puesto que de ningún modo pretendo ser exhaustiva, ya que por fortuna hay muchas mujeres importantes a quienes hoy casi nadie recuerda ni reconoce todavía, debo seguir buceando en la memoria de los diarios, memorias y textos de las que me han hablado con sus propias palabras. Ahí está por ejemplo Alma Mahler, una artista, una compositora precoz que, para su desgracia, cuando tiene 21 años conoce, se enamora, se apasiona y se casa con el «gran» Gustav Mahler. Poco tiempo antes de casarse, el genio le escribe a su adorada: «Tú escribes: *Tú y mi música.* ¡Perdóname pero también tenemos que discutir eso! ¿Cómo te imaginas la vida matrimonial de un hombre y una mujer que son los dos compositores? ¿Tienes alguna idea de lo ridícula y, con el tiempo, lo degradante que llegaría a ser inevitablemente para nosotros dos una relación tan competitiva como ésa? ¿Qué va a ocurrir si, justo cuando te llega la inspiración, te ves obligada a atender la casa o cualquier quehacer que se presentara, dado que, como tú has escrito, quisieras evitarme las menudencias de la vida cotidiana? Tú no debes tener más que una sola profesión: la de hacerme feliz.» Espeluznante carta, como diría Rosa Montero en su colección de *Mujeres,* en El País (1995).

Y nuestra Zenobia Camprubí, nacida en la Costa Brava, en 1887. Una mujer culta, inteligente, activa, que en el exilio fue profesora de lengua y literatura en la universidad de Washington y luego en la de Puerto Rico. Juan Ramón Jiménez, el excelso poeta español, vivió de los ingresos de su mujer durante muchos años. Y sin embargo Zenobia, cuya inteligencia es extraordinaria y sus tímidas incursiones en la literatura denotan su gran capacidad creativa, se autoanulará en aras de un marido enfermo, hipocondríaco y de un egoísmo feroz. Se someterá en cuerpo y alma a Juan Ramón. Le pasará a máquina sus textos, le corregirá errores y se pasará días encerrada en el cuarto de baño para no molestar con su presencia a Juan Ramón.

Y conocí y conviví con la valiente miliciana, con la brillante escritora Teresa León. Viajé en varias ocasiones en su compañía en los quehaceres del Movimiento por la

Paz y estuve también en su hermosa casa del barrio del Trastevere, en Roma. Vivía, claro, con Rafael Alberti, por él vivía. La vida de Teresa en su época de lucha antifascista es conocida por ser tan conocida la del poeta español. Perteneciente a la Alianza de Intelectuales Antifascistas, fundará junto a su compañero la revista *Octubre,* colaborará con Bergamín en la creación de *El mono azul* y publicará sin descanso artículos y ensayos contra el fascismo. Su libro *Memoria de una melancolía* es uno de los relatos más conmovedores de la guerra civil y de la participación en ella de nuestros intelectuales. Antonina Rodrigo recoge una vez más sus palabras: «Lo he contado muchas veces... Pero yo sigo porque es el regreso de la felicidad que dura un instante... Nuestros guerrilleros eran soldados. Todos éramos soldados. Teníamos nuestra ración de pan. ¡Pan cuando Madrid apenas comía! Y cantábamos. ¡Cuánto hemos cantado durante aquellos años! Cantábamos para sacudirnos el miedo. Inventábamos letras, las uníamos a las músicas populares y luego volaban, y aún vuelan, sin nombre de autor.»

¿Y qué decir del luchador, obrerista, dramaturgo alemán Bertolt Brecht, fuente de nuestros intelectuales de los años setenta cuya obra, casi por entero fue escrita por su bella amante Elisabeth Hauptmann, quien primero fue su colaboradora y luego la «negra» literaria de aquel poeta obsesionado por el sexo, siempre con disfraz de proletario?

Rodeado de numerosas y numerosos amantes, envuelto en una aureola de ascetismo y de luchador antinazi, consiguió acaparar una importante fortuna gracias al trabajo gris de «sus» mujeres, lo cual no le impedía manifestar con cinismo, con el clásico desprecio de este tipo de hombres que, sucumbiendo a un mayor talento femenino, no sólo las utilizó sino que las agredió con su incontrolable envidia: «...gozo en la cama / soy completamente apolítico / la mujer no va más lejos que su cama... carece de imaginación... de vida intelectual / a las mujeres independientes hay que controlarlas con un látigo, como a negras...».

Este descubrimiento del profesor de Harvard, John Fuegi, logró devolver el genio de la obra brechtiana a quien lo poseía: principalmente a Elisabeth Haumptmann, quien acabó reconociendo que *La ópera de tres pe-*

niques le pertenecía en más de un 80 por ciento. A veces las mujeres nos encontramos con los hombres decentes y éste es el caso de las declaraciones finales, tras su investigación exhaustiva en los archivos del propio autor exigiendo sobre todo «que sea determinado minuciosamente lo qué corresponde a cada una de las principales autoras, para responder un día a quienes se pregunten dónde estaban las grandes dramaturgas a principios de este siglo.

Dónde estaban las grandes dramaturgas y las grandes escritoras y las grandes científicas... Creando para los hombres, escribiendo para los hombres, fregando para los hombres. Y, aunque lo parezca, no quiero ser radical al final de este trabajo, tras haberlo sido, con todo conocimiento de mi intención en el transcurso de una investigación claramente sectaria. Lo confieso porque, al fin y al cabo, era mi propósito. He intentado hacer un recorrido a través de una serie de mujeres que nunca consiguieron llegar a ser ellas en su total plenitud. Otras, unas pocas, han brillado y saldrán comprometidas con su protagonismo elegido. Como dijo Simone Weil: «Nada poseemos en el mundo salvo el poder decir yo.»

Las que a lo largo de la historia se atrevieron a pronunciar esta palabra —*yo*— con convencimiento, fueron maldecidas, quemadas en la hoguera, torturadas, lapidadas y asesinadas por todas las sociedades involucionistas desde los tiempos de Lilit, la primera mujer de Adán. Ella, según cuenta la tradición judía quiso ser igual que el hombre y le indignaba, por ejemplo, que la forzaran a hacer el amor debajo de Adán, una postura que le parecía humillante. Adán, utilizando su mayor fuerza física, intentó forzarla a obedecer y Lilit huyó para siempre. Todas las Lilits han seguido huyendo a través de los siglos para ser *Yo*. Como comenta Rosa Montero en su serie de *El País:* «Lilit fue la primera feminista de la creación, pero sus reivindicaciones eran inadmisibles para el Dios patriarcal de la época, que convirtió a Lilit en una diabla mataniños y la condenó a padecer la muerte de 100 de sus hijos cada día, horrendo castigo que emblematiza a la perfección el poder del varón sobre la hembra.» Eva sería, en cambio, el símbolo que encarnaría al *otro* y por el que —por la inocente culpa de ofrecerle una manzana al macho— pariría con dolor por los siglos de los siglos, amén.

XIII
EL COMPROMISO

Entre el remordimiento y la curiosidad, la avidez y el temor, asqueada de mi propia vida y de mi superficial forma de haber vivido, recogí el viejo concepto sartriano de comprometerse, de ensuciarse las manos y me dediqué, acabando Periodismo y la Facultad, con vehemencia, al reportaje social, a la denuncia social. Volví a conocer de cerca, en la intimidad, el sufrimiento de los más desposeídos, de los marginados. Cada reportaje era un perfecto acto de amor hacia aquellos seres desafortunados, era una compenetración profunda con su sufrimiento. No, no era cuestión de ponerse cilicios nuevos para sufrir *como ellos,* sino de acercarse a ellos y sufrir *con ellos.* De luchar sin reposo para arrancarles de la miseria económica y cultural en la que el franquismo les mantenía sumergidos. A través de mis trabajos en revistas se fueron acercando militantes de distintos partidos para informarme de casos concretos para denunciar a la opinión pública, a los organismos responsables. Si yo penetraba en un mundo desconocido, respecto al cual siempre había vivido de espaldas, ¿cómo aquella realidad no iba a ignorarla la masa de lectores acostumbrada a la información enmascarada, oficial? Me familiaricé sobre todo con la gente del partido comunista. Mi temperamento, permanentemente en éxtasis hacia los demás, recobraba vigor en mi admiración por el valor que demostraban los compañeros y las compañeras de la Universidad, asumiendo graves riesgos en su lucha al lado de la clase trabajadora. Empecé a frecuentar, alentada por ellos, las primeras reuniones y asambleas de las nuevas y superclandestinas Comisiones Obreras en las que el Partido tenía puestas todas sus esperanzas y depositado su apoyo para introducirse en el mundo obrero, desarticulado desde 1939.

Entre centenares de trabajadores y unos pocos intelectuales, universitarios y profesionales liberales, sufría auténticos ataques de pánico —incontrolable temblor de mis piernas y vuelco en el corazón—, a la vez que me conmovía y emocionaba la serenidad de aquellos hombres y de aquellas pocas mujeres que en las asambleas tomaban la palabra, recuperada la voz ronca, para denunciar implacables las condiciones infrahumanas de su existencia laboral, la represión, la tortura, la cárcel que sufrían sus líderes. Se me helaba la piel cuando llegaba alguien corriendo para avisar que la policía había rodeado la iglesia en la que estábamos cobijados. Nunca entenderé de dónde pude sacar fuerzas para sacudirme de mi parálisis total, ni cómo conseguía echar a correr escaleras arriba, o abajo, por los patios o las azoteas y escapar de las brutales cargas de los grises.

Frecuentaba también las manifestaciones, cada vez más frecuentes en Barcelona, siempre con el convencimiento, y el consiguiente terror, de que mi rostro estaba archivado en la memoria de la «secreta», que andaba siempre pisándonos los talones, y en la memoria de los grises apostados de dos en dos en las esquinas. Ese miedo, ese temblor, sin embargo, no me llevaba a abandonar la lucha, sino que, al contrario, excitaba mi carencia de compensación afectiva y me atraía como el vértigo. Cada día salía de casa convencida de que no iba a regresar, y viví aquellos primeros tiempos de compromiso político inmersa en un perpetuo terror, con el convencimiento de que un día iba a ser detenida y torturada. Los relatos que se explicaban de las torturas practicadas por la policía a los detenidos eran escalofriantes y durante las noches en vela hacía largos ejercicios de mentalización para, en el caso de que me atraparan, ser capaz de callar. Mi mayor angustia consistía en ser lo suficientemente valiente para no delatar a otros compañeros y compañeras. Mi privilegiada situación profesional había traído consigo la lógica introducción entre los cuadros y dirigentes del partido. Mientras los camaradas de la base apenas se conocían entre sí, entre nosotros, los intelectuales, era imposible conservar el anonimato. Cuando nos encontrábamos por las calles de Barcelona, a veces nos saludábamos efusivamente, a veces, presas del terror y la paranoia, fingíamos no reconocernos. Lo cual, en caso de ser vigilados, resultaba obviamente mucho más sospechoso para la policía.

Al fin, el Partido, que estaba reclutando prosélitos en una fuerte campaña de expansión y de introducción entre la clase cultural, y especialmente entre la clase de los medios de comunicación, envió a un camarada para *invitarme* oficialmente a ingresar en sus filas, a incorporarme de una forma más activa y más comprometida a su lucha. Me halagó estúpidamente que esta vez el proselitismo, la conquista, se la hubieran encargado a un hombre. Hasta entonces, todos mis devaneos místico-nacionales-sociales habían sido dirigidos por otras mujeres. Nunca hasta entonces los hombres habían demostrado la más mínima atención e interés respecto a mí.

«—¿Quieres entrar en el Partido? La Dirección me encarga que estudies su propuesta formal —me dijo un día un miembro del Comité Central.

»—Pero es que yo conozco muy superficialmente a Marx y a Lenin, e ignoro los textos más elementales de vuestro programa...

»—Eso poco importa. Saldrás mañana para ir a unos cursillos de preparación y adiestramiento que se están llevando a cabo estos días en un lugar del exterior.»

Creo que me decidí en aquel mismo instante, sobre todo gratificada porque era un camarada importante quien había ido a convencerme: por un lado significaba que en el Partido no había mujeres de mi prestigio intelectual y profesional y, por otro, que valoraban mi imagen, cosa que después de haber vivido toda mi vida sumergida en un sentimiento de inferioridad, en mi masoquista subvaloración, me reafirmaba, me serenaba, me engrandecía.

Las primeras reuniones de célula excitaron mi curiosidad por lo qué allí se decía, por aquel lenguaje inédito y por la oportunidad de tratar casi íntimamente a aquellos camaradas que hasta entonces me habían parecido míticos, deshumanizados, compuestos sólo de cerebro y fanatismo. Al poco tiempo, sin embargo, empezaron a aburrirme con su obsesión por analizar en profundidad los mismos textos y hasta de escuchar las largas disertaciones del camarada responsable, evidentemente dirigidas a mentalizarnos de la misión revolucionaria del Partido. Por otra parte, mi escasa información y formación marxista me impedía intervenir y discutir las consignas, las órdenes fijadas en cada reunión. Empecé, de nuevo, a sentirme dirigida, manipulada, y todo me parecía mecánico, robotizado. Había adquirido, no obstante, un nuevo sentimiento de responsabilidad, y me sentía una pieza imprescindible dentro de la lucha por la emancipación obrera. Recordaba las viejas experiencias vividas al lado de los desheredados y veía que aquella forma colectiva propugnada por el Partido era la única eficaz para que la clase trabajadora se organizara y asumiera su propia lucha, para que accediera al poder de regirse por sí misma.

Frecuenté con total entrega los barrios populares, las fábricas, y aprendí a superar mi timidez para colaborar en la campaña de agitación de masas en la que entonces estaba comprometido el Partido. El viejo sentimiento cristiano de la vida que había presidido mi comportamiento vital vislumbraba una alternativa más lógica en la práctica de la infiltración colectiva y organizada. En efecto, resultaba gratificador y muy excitante el resultado, tras los laboriosos trabajos de convencimiento a los trabajadores, de ir a una huelga o a una manifestación, o a cualquier acción de movilización de las masas. Parecía increíble que, a base de dedicar meses todos los camaradas dispersados en diversos sectores obreros a un objetivo concreto, aquello diera el resultado esperado. Las consignas se cumplían: *el domingo día cinco, todos nos concentraremos en la explanada de Torre Baró.* Y aquella gente que escuchaba con temor y con miedo acudía a la cita más convencida que nosotros mismos, más orgullosos, más altivos, jugándose el trabajo, la libertad, el pan, y la vida... bajo nuestras órdenes.

De aquel primer año de agitación clandestina pasé a una exclusiva dedicación profesional. Los reportajes salían más comprometidos, a la vez que más manipulados por los camaradas. Los empresarios de prensa, los directores de las publicaciones empezaron a sospechar que mis artículos, si no dictados, eran inducidos por el Partido, y cayó sobre mí el peor anatema de aquellos tiempos: *«es comunista»*. El rechazo, la devolución progresiva de mis trabajos, se hizo norma y las puertas de las redacciones se cerraron totalmente. Expedientada, procesada, reprimida, me convertí en una perseguida oficial. En los últimos esfuerzos por conseguir publicar mis trabajos, el trato de quienes me habían aupado en la profesión se distanció y el golpecito en la espalda («mira, por mí, te lo publicaría, pero son órdenes del Ministerio, no puedo, estás en sus listas negras») se convirtió en la decepción cotidiana.

Sin trabajo en ningún periódico ni revista del país y sin saber cómo sobrevivir económica y profesionalmente, expuse mi situación al Partido:

—Sí. Debemos encargarte otros servicios. Viajarás al extranjero y contactarás con nuestro Partido del exterior. Llevarás y traerás propaganda. Traerás consignas e informarás al Comité Central de nuestras actividades.

Viajé por diversos países del Este y conocí a los exiliados míticos por los cuales, desde el interior, sentíamos auténtica devoción. Cierta aureola llegada desde España, de periodista valiente y represaliada, contribuía al carácter gratificador de aquellos encuentros, a la vez que, como mujer, hacían que me sintiese una privilegiada, puesto que era de las pocas a quienes se les confiaron misiones tan comprometidas.

El Partido tenía en aquellos tiempos como principal objetivo salir, aunque con prudencia, a la luz pública, recuperar su imagen de un prestigio precario en la prensa y en los medios de comunicación y, por lo tanto, entre el público desinformado, despolitizado. Carrillo convocó a los periodistas comunistas a una asamblea general en «algún lugar de París». Entre miles de medidas de seguridad, de precaución y de cautela nos concentraron en una finca de los alrededores de aquella ciudad, nido y refugio de la oposición española. Era solemne y casi lujoso aquel caserón aislado, a través de cuyas puertas y ventanas sólo se veía la verde campiña francesa. Habían acudido allí los máximos dirigentes del Partido, conocidos por mí anteriormente durante mis frecuentes viajes como enlace.

Al terminar la comida, Carrillo nos preguntó a los *del interior* sobre la situación de los camaradas detenidos. Sabían que la policía acababa de desmantelar el aparato de propaganda de Barcelona y les constaba que seis camaradas estaban soportando bestiales torturas en los interrogatorios. Estaba allí con nosotros Carlos, que había logrado escapar de la redada y explicó minuciosamente los pormenores de la catástrofe, en medio de un silencio rabioso. Los miembros del Comité Central atendían rígidos y con cortesía la explicaciones, como una catarsis, de Carlos, hasta que el secretario general, crispado, zanjó el azunto:

«—Camaradas, no debemos caer en la desmoralización y el miedo. Hay que seguir adelante. Cuando cae un camarada en nuestro Partido, otro tiene que reemplazarle. Desesperarnos es el objetivo de la policía y del régimen. No debemos caer en la trampa. Sembrar el pánico en nuestro cuerpo para que delatemos y abandonemos la lucha es su propósito. A este camarada de Barcelona que ha hablado bajo la tortura debemos perdonarle, pero no podemos seguir contando con él. Cuando salga de la cárcel le apartaremos, con dolor, del Partido. La delación, aunque muchas veces comprensible, es injustificable.»

La voz del Secretario General proseguía monótona:

«—Todos hemos sido interrogados y torturados sin piedad alguna vez. Pero eso no justifica la delación de otros camaradas. Nadie ha dicho nunca que nuestra lucha sea fácil, ni siquiera heroica, pero no podemos permitir que nos cojan por decenas, como ratas. El sentimentalismo y la debilidad no tienen cabida en nuestro Partido.»

«—¿No comes?», me preguntó el secretario general con indiferencia.

Pedí más vino. Me sentí mareada. Un sabor amargo se incrustaba en mi garganta. Carlos cambió de conversación e informó del éxito popular que había tenido la convocatoria del primero de mayo en los barrios obreros.

«—En Torre Baró —decía exultante— llegó la policía a caballo arremetiendo contra todos. Los obreros y sus mujeres, con los hijos en brazos, permanecieron inmóviles bajo los cascos de los caballos y esquivando como podían las porras y los culatazos de los enloquecidos grises de a pie. El pueblo resucitaba del letargo del pavor franquista. Renacía el coraje de nuestros hombres y de nuestras mujeres hartos y hartas de la miseria y del silencio...»

El relato de Carlos consiguió distender el clima que se había creado entre nosotros. Sin embargo, un malestar de rencor y desencanto por la dureza manifestada contra el camarada torturado me impedía integrarme en la conversación.

«—Vamos a terminar con la dictadura —estaba diciendo, a su vez, en aquel preciso momento, Carrillo—. Y será, en gran parte, gracias a vosotros los periodistas. Debemos enseñar a leer al país. Una gacetilla sobre cualquier actividad nuestra en una esquina perdida de un periódico es más importante que un titular fascista a cinco columnas. Una fotografía mía o de alguno de nuestros dirigentes será más eficaz que la fotografía de Franco en portada. El pueblo no nos conoce, nos ha olvidado, ignora qué cara tenemos y hemos de rescatar nuestra popularidad a toda costa y prepararnos para regresar. Éste es el primordial objetivo para vosotros: hablar del Partido, escribir sobre nosotros, aprovechar todos los espacios de la prensa, de la radio y de la televisión para introducir el comunismo, la lucha proletaria en el país. Vosotros representáis una espléndida selección del periodismo. Todos vosotros tenéis experiencia de lucha y habéis corrido grandes riesgos. Ha llegado el momento de popularizar nuestro partido en España, de salir poco a poco a la luz. No sucumbáis, no os canséis, el dictador morirá, pero la lucha del proletariado debe proseguir implacable hasta imponer su propia dictadura.»

Tomó la palabra el camarada responsable de la radio clandestina que había funcionado desde el mismo momento en que terminó la guerra, desde el exterior, y estaba explicando, con orgullo, las aventuras y su tenacidad por no dejar ni un solo día, ni una hora, sin la información de la España rebelde. Su voz *en vivo* me traía el recuerdo de nuestra voracidad para sintonizarle durante los años en que solíamos enterarnos de lo qué ocurría en nuestro país gracias a él. Sólo cuando notificaba, cada tres o cuatro meses, que Franco estaba en peligro de muerte, o cuando multiplicaba las versiones de los atentados contra el dictador, sonreíamos escépticos.

«—Ahora que el país hierve, os pedimos información desde dentro. Tenemos que establecer un estrecho contacto con vosotros, camaradas periodistas. Iniciaremos la mayor ofensiva informativa jamás lograda hasta el momento...»

Al amanecer llovía aquel día en París.

Cuando tras una copa de champán y diversas ofertas de tacos, jamón y caviar, nos despedíamos de aquel hermoso caserón, el Secretario General me llevó aparte, lejos de los camaradas.

«—Sé perfectamente que tu lucha, tu auténtica motivación de la lucha no es la nuestra. Te sientes vejada, humillada, porque en el partido te parecerá que no tenemos en cuenta a las mujeres. Pero nosotros creemos que sois muy valiosas. Tú, concretamente, y esta camarada, Lidia Falcón, tenéis las manos libres y nuestro apoyo para que iniciéis la lucha de las mujeres: ya sabes, el feminismo y esas cosas. Pero nosotros, los camaradas, tenemos un deber acuciante: terminar con Franco y redimir a la clase obrera. Nos volveremos a ver. Ahora, mi consigna es que te ocupes de las mujeres.

»—¡Las mujeres! —le espeté enfurecida—. Y a ti ¿qué te importan? En realidad debía haberme dado cuenta cuando vi vuestro film "Mourir à Madrid". Te parecerá un disparate mi denuncia de que en la película, la mujer, la única mujer que aparece en el reparto, se limita a serviros el café a los camaradas.»

Regresé en metro a París, junto a Manuel Azcárate. Todavía me quedaron resortes para el último intento:

«—Manuel, y las mujeres, ¿qué?»

«—Son cosas tuyas, Carmen. Yo creo en las mujeres. Amo a mi compañera.»

Todos los camaradas regresamos a Barcelona por diversos medios de transporte y a horas distintas. Tardé mucho en reencontrarme con Lidia Falcón.

Me invitó un día a una reunión clandestina en el Parque de la Ciudadela y con entusiasmo me habló de Líster, que acababa de romper con Carrillo. Le dije que me sentía rota y que no quería saber nada más de ninguna otra militancia. Me largué mientras ella repetía a gritos mi nombre.

Al cabo de unos años, fue a casa un dirigente del Partido para invitarme a Budapest, donde se celebraba un Congreso del Movimiento de la Paz.

Había llegado el momento de echar a Líster de la Presidencia. Hasta yo podía optar a ella. Mi presencia les era imprescindible porque era la única periodista que todavía se atrevía de vez en cuando con los reportajes sociales, con las noticias políticas.

No se trataba de un encuentro entre camaradas. Era un Movimiento no gubernamental abierto a todos los que luchaban en la resistencia interior y exterior.

Llegamos a Budapest y los trámites con la policía húngara me recordaron, me parecieron idénticos a los de aquí cuando cruzábamos la frontera francesa. Al fin, un coche negro oficial nos esperaba y nos llevó a un magnífico hotel del centro de la ciudad. Yo ya tenía otras experiencias de aquellos festivales porque había estado ya en otro viaje parecido, en El Cairo: Habíamos viajado desde Barcelona a Egipto con cuatro intelectuales amigos. Nos instalaron en un enorme hotel que daba al Nilo y nos recibieron Enrique Líster, Teresa León y Rafael Alberti. Las largas conferencias con traducción simultánea eran soporíferas y yo dedicaba mi tiempo a hablar con otras camaradas mujeres sobre la situación de la mujer en los países del Este.

«—No es ésta ahora nuestra primera preocupación, ni el objetivo de la lucha. Primero, derrocar a Franco.»

Las comidas con Enrique Líster, Antoni Montserrat, José M. Castellet y Terenci Moix resultaban sórdidas y angustiosas, mientras nos relataban sus «hazañas» de la guerra. Líster sólo estaba pendiente del plato, comiendo con la boca llena, riéndose estruendosamente y bebiendo del porrón un vino tinto que había ordenado. Por las noches nos llevaba a unos cabarets cutres y destartalados donde las mujeres, sobre una tarima, bailaban algo parecido a la danza de los siete velos. Líster comentaba con Castellet: «¿Te has fijado en esta mujer? Tiene el culo más grande que una plaza de toros.» Yo me abstraía, asqueada, y Terenci no veía el momento de huir de allí y alcanzar la calle, en busca de algún árabe con quien contactar (el cuerpo esbelto y sobre todo los ojos, la mirada, de los egipcios también me atraían a mí con una fuerza irresistible). La realidad es que Castellet, Terenci, yo y Antoni Montserrat nos dedicamos, bajo la excelente guía de Moix, a recorrer El Cairo, entrar en las innumerables tiendas a cuyos dueños parecía conocer de toda la vida «el joven Moix», como le llamaba Líster. Descendimos por los infinitos túneles de las Pirámides y viajamos con complacencia a través del Nilo. El tumulto de árabes pedigüeños que te ofrecían un viaje por el desierto montada en un camello, componían un mundo insólito, extravagante y desconocido, atractivo y triste. Un deplorable espectáculo de miseria y folklore. Montamos en los camellos y nos cruzábamos miradas de terror y complicidad. Creo que fue el primer momento en que empecé a respetar a otros seres que no eran de mi raza. Me gustaba —y no me ofendía en absoluto— contemplar las manos de aquellos chiquillos morenos, hermosos, acariciando mis piernas, nunca supe si en espera de unos cuantos francos o para que me tranquilizara y familiarizara con los camellos.

Al anochecer, de regreso en el hotel, Líster ya estaba instalado ante una mesa, junto a su secretaria. Con cara de pocos amigos, el último día nos dijo que le abatía un gran dolor, nunca dijo dónde, y que nadie le quería poner un supositorio calmante. Me ofrecí a realizar el acto médico y, en su habitación, me dispuse con todas las reservas del mundo a incrustárselo. Al terminar, le dije: «Camarada Líster, tienes el culo más grande que una plaza de toros.» Encajó el golpe con malhumor.

Aquella noche nos enteramos de que en España se había declarado el «Estado de Excepción». Los teletipos llegaban con lentitud y escuetos a la Agencia de Información de El Cairo y nos mantuvimos allí toda la noche esperando con ansiedad las confusas noticias que llegaban de España. A Líster aquello no parecía importarle lo más mínimo y de repente desapareció. Nosotros decidimos regresar vía Roma y detenernos en la ciudad algunos días para conocer más de cerca los acontecimientos. Una vez más, Terenci se convirtió en nuestro guía y pasamos largas veladas en casa de Rafael Alberti y Teresa León, inefable, dulce e inteligentísima Teresa. Años más tarde supe que estaba sola, olvidada y apartada por Alberti y la mayoría de sus admiradores.

Desde Roma, Terenci llamaba a todas horas a su madre, suplicándole que quemara su correspondencia. Finalmente Castellet, Antoni Montserrat y yo decidimos el regreso. Nos invadía el pánico pero creímos que no podíamos abandonar. El miedo en la Aduana me temblaba en las piernas. Nada más llegar a Barcelona necesitaba con urgencia ponerme en contacto con Lidia Falcón. No dejó que me explicara:

«—¡Estás loca! ¿Por qué has regresado? Yo me largo. ¿Te vienes?

»—Pero si acabo de regresar...

»—A mí me tiene sin cuidado. Yo me largo.»

Fue al cabo de unos años cuando volvimos a encontrarnos los mismos, en Budapest, en otro Congreso del Movimiento de la Paz. La escisión entre Enrique Líster y Carrillo y sus seguidores estaba anunciada. Había llegado también el gran Alberti para reforzar el derrocamiento de Líster. Terenci esta vez no estaba. Seguía en Roma y me imagino —luego me las contó a medias— sus andanzas metido en el círculo de Passolini.

Sentado en el hall de otro espléndido hotel, repleto de policía secreta, Azcárate, el poeta Pedro Salinas, Santiago Alvarez Castellet, Alberti, yo y otros camaradas del exilio atendíamos la estrategia de Carrillo para derrocar a Enrique Líster de la Presidencia.

«—Dicen que del interior llega otra mujer. Se hace llamar Natalia y viene con el grupo de Líster —espetó Azcárate.»

El corazón me dio un vuelco. No podía ser otra que Lidia Falcón. De repente nos quedamos mudos. Por la puerta giratoria entraba una mujer despampanante, hermosa, tocada con un gorro de piel y altos tacones. Castellet me miró con complicidad. Los demás estaban tan intrigados que no advirtieron el cruce de nuestras miradas. Ascendió por las escaleras como una diva. Vino hacia mí y nos confundimos en un abrazo largo, estrecho, emocionado.

En un aparte, Natalia (Lidia Falcón) me dijo:

«—Pero, ¿se puede saber qué haces tú con éstos?

»—Ya lo sabes, Lidia, sigo en el Partido. ¿Tú vienes con Líster?

»—¡Pues qué te imaginas! Es la única opción. Sube a

mi habitación y te mostraré los folletos que te hacen falta. ¡Tú, siempre en las garras de los irrazonables! ¿Cuándo aprenderás a cortar los lazos que te atan?»

Ante la perplejidad de los míos, abandonamos la reunión. Subimos a su habitación repleta de propaganda, libros y folletos de Líster. Me hundí en una butaca y me leí aquella literatura tan parecida a la que yo guardaba en mi cuarto. Sólo que, en lugar de un líder omnipotente e indiscutible, surgía otro: Enrique Líster. De repente pensé: «¿qué hago yo aquí?»

Después de muchos meses Lidia me llamó:

«—Mira, Carmen. Supongo que ya has dejado tu Partido y que deseas ser útil para alguien. Para las mujeres. Son ellas quienes nos merecen, quienes necesitan nuestros esfuerzos.»

Su despacho estaba lleno de mujeres, todas conocidas. Lidia tomó la palabra:

«—Los hombres, los partidos, nos están engañando y nos mantienen al margen de nuestros propios intereses. Basta ya de cocinarles, de plancharles las camisas. Vamos a iniciar un movimiento feminista que entronque con las sufragistas inglesas, las cuales, aunque apaleadas y encadenadas frente al palacio de Buckingham, consiguieron su derecho al voto. Ellas dieron su sangre, su vida, para redimir a las mujeres, para redimirnos a todas. Debemos dedicarles nuestra fidelidad y nuestro reconocimiento. Aquí, las mujeres no somos nadie, no pintamos nada. Lo hemos visto en los partidos, en los sindicatos, siempre dominados por los hombres. Nosotras somos una clase en lucha y debemos reunirnos todas para iniciar el movimiento por nuestra libertad.»

Durante la década de los 70 iniciamos una lucha infatigable y fatigante, de conferencias, panfletos, reuniones. A todo acudíamos todas. En los Amigos de las NNUU de la calle Fontanella, Rodolfo Guerra, socialista, nos dejó una sala para organizar nuestro frente feminista. Fue el principio de un descalabro, de una desunión, de luchas encarnizadas por la presidencia del grupo. Se produjeron intrigas, manipulaciones, traiciones. Cada vez nos parecíamos más y mimetizábamos a los hombres, que a su vez se estaban organizando en la clandestinidad esperando la muerte inminente de Franco. El país, en aquellos años, hervía en la clandestinidad. Aparecían muchas personas que habían permanecido en el anonimato y escondidas. Poco a poco se iba perdiendo el miedo y revistas como «Presencia», (¡cuánto esfuerzo el de M.ª Rosa Prats y yo para sobrevivirla!) Cuadernos para el Diálogo», «Triunfo», «Destino», de una forma espontánea mantenían una línea cada vez más arriesgada. Los secuestros, las multas, los expedientes, las condenas se sucedían y apenas lograron sobrevivir al Dictador. Dos acontecimientos nos conmovieron vivamente, y por primera vez se nos vio reunidos a todos juntos: La muerte súbita de Frederic Roda en los juzgados y el asesinato de Puig Antich.

A la iglesia dels *jardinets* de Gracia poco a poco iban acudiendo los que ya nos conocíamos, pero fingíamos no conocernos. La presencia de Raimon en el entierro constituyó todo un símbolo, nos aunó en un deseo incontenible de dar la cara y luchar abiertamente. El asesinato de Puig Antich nos tuvo a muchos la noche en vela esperando el indulto que no llegó. Magda Oranich, Marc Palmés y Enrique Leira permanecieron con él toda la noche. Su entierro en el destartalado cementerio de Montjuich resultó macabro. Nos cruzábamos los amigos miradas de indignación y de impotencia. El General no se moría y su lacayo Carrero Blanco culminaba su nefasta influencia sobre él con el Proceso de Burgos. Eran los últimos estertores de un asesino que nos mantuvo durante cuarenta años acogotados.

Por fin, una noche a las tres de la madrugada, me despertó una voz conocida, temblorosa y triunfante: el Generalísimo de todos los Ejércitos acababa de morir.

Pero antes todavía se tenía que producir uno de los sucesos más regocijantes de nuestra historia: la voladura por ETA de Carrero Blanco. Poco después, otro nos encogería el alma: la terrible explosión de la calle de Correo de Madrid en la que perecieron catorce personas. Aquello nos desconcertó. ETA había llegado demasiado lejos. La oculta admiración que muchos sentíamos por la organización abertzale se desvaneció.

Sonó el teléfono a las tres de la tarde.

«—Carmen, estoy en mi despacho rodeada por la policía. No sé lo que pretenden estos cerdos, pero yo no pienso abrirles. Haz algo.»

Lidia estaba excitada, temblorosa, desesperada.

Llamé a su casa y Patro, su fiel sirvienta me contestó llorando:

«—Se los han llevado a todos. Al señor, al señorito. La señorita ha conseguido escapar porque no estaba aquí.»

Los teléfonos amigos sonaban y, con desconfianza, las voces amigas preguntaban:

«—¿Tú crees que tendrán algo qué ver?»

Sabía yo perfectamente que ellos no habían participado en aquella masacre. La tarde anterior había ido a visitarla. Estaba en la cama, tranquila, sosegada, con aquella mirada de ternura que reconocía en contadas ocasiones.

Permanecieron nueve meses en la cárcel, hasta que se les concedió la libertad sin cargos.

Desde la cárcel de Yeserías, Lidia pidió permiso para escribirme y me proclamó, en una carta solemne, albacea y representante de su obra.

XIV
LA DOBLE MILITANCIA. UNA FEMINISTA EN LA CÁRCEL

«—Compañera del alma, compañera...» Así iniciábamos un largo diálogo, oficial a veces, clandestino otras, Lidia desde la cárcel de Yeserías («Hoy ha venido el juez a pedirme explicaciones de lo inexplicable»). Y yo, queriendo aglutinar en mi privilegio de escribir las mil voces solidarias y atónitas ante la grave acusación que cayó sobre ella y sus compañeros. Durante más de nueve meses volcó Lidia sus dolorosas e inesperadas vivencias a causa de la agresión material que la Justicia le infligía. Cartas de letra prieta, temblorosa, airada y triste. Subversivas las clandestinas, apenas contenidas las oficiales, las permitidas. Con la misma rabia, también me llegaban de mil maneras diversas, los capítulos arrugados del libro: «—Si te parece, para entendernos en nuestra correspondencia oficial, le llamaremos el "Libro Feminista". ¿dónde lo publicaremos? Si se ha de publicar aquí, he de reducirme a la autocensura obligada. Y si no he de salir de este atolladero pronto ni siquiera veo que se pueda publicar.»

La impaciencia por salir la galvanizaba hasta alcanzar una larga producción de la que todavía hoy no se han visto los resultados. El «Libro Feminista», el Manifiesto —profundo pensamiento de ideología feminista—, corrección de pruebas de *Es largo esperar callado,* el que constituirá su primer tomo de *Memorias.* Notas, discursos; estudio de lo que nunca puede estudiarse en la libertad; crítica espectadora de los incipientes balbuceos de los movimientos feministas; instancias, demandas y escritos para sus compañeras más desamparadas, todavía más indefensas y más frágiles que ella.

Entrecortada llegaba su rabia y su impotencia por la injustica sufrida, junto a los lúcidos retazos de su pensamiento que seguía empeñado en las líneas directrices que había ido trazando durante quince años... El primer *Manifiesto Feminista*. La primera vez que se definía a la mujer como clase; definición tan bien acogida y tan bien apropiada por algunas y algunos y tan violentamente rechazada por tantas y tantos, yo entre ellos. Acusada permanentemente y sin respiro, ella responde. Responde reestructurando el objetivo crucial: la insurrección feminista y la toma del poder, hacia la definitiva formación de un partido revolucionario feminista.

«Afirmar como afirmas, que el Año Internacional es un acto paternalista, es tan débil y confuso que no significa nada. Es peor. Representa una plataforma contrarrevolucionaria, y claramente de absorción capitalista y machista de las reivindicaciones feministas que ya les están haciendo pupa.

»Si no se podía decir así, había que buscar por lo menos la palabra confusa "con el propósito de confundir a las masas que hoy están concienciando el problema de la mujer". Pero esto en todo caso es lo de menos. Resulta ridículo afirmar «si alguna eficacia ha de tener la proclamación de este año, que consideramos un primer paso para iniciar una acción continuada, ¿es que acaso tú y yo, y las mujeres norteamericanas e inglesas, las francesas, las italianas, las portuguesas, los grupos de María José, de la oposición clandestina, hemos esperado este Año para iniciar una acción continuada? ¿Es que hasta hoy ninguna mujer en nuestro país, y no digamos fuera de él, había hecho nada esperando que la ONU se acordara de nosotras? ¿O la convocatoria famosa no es el resultado de muchos años de lucha, por más estériles que nos hayan parecido? ¡Qué pobre idea hemos dado de nuestro país a todos los movimientos feministas! ¡Qué olvido más absoluto de nuestra labor de tantos años, de la agitación, que aunque confusa, han llevado muchos grupos clandestinos desde hace tanto tiempo! Este párrafo es la parida de unas cuantas señoras burguesas, revisionistas, derrotistas e ignorantes, que ellas sí se han enterado del problema de la mujer hoy. Y en cuanto a las peticiones no digamos. La mujer española pide los derechos de reunión, asociación, expresión, manifestación, huelga. ¿Qué clase de derechos? Porque en el fuero de los españoles ya están. ¿A quién se los pide? Esta confusa terminología es idéntica a la que he sufrido tantos años en nuestra inefable «familia» y huele que apesta, a revisionismo y oportunismo. Queremos las libertades políticas para el pueblo, arrancadas por él, y nosotras como mujeres lucharemos con él por conseguirlas, y lo hemos hecho y lo estamos haciendo, pero ¿es eso lo que tenemos que pedir a un ente abstracto que se llama estado? ¿O a quién? Y en cuanto a las solicitudes específicamente feministas, que por supuesto debían haber sido redactadas en primer lugar, es para reírse. Lo más vago que se pude encontrar. ¿No se puede dar la alternativa al sistema educativo en unos puntos concretos y claros, en vez de este galimatías para iniciados que sólo mueve a confusión a los lectores y a una risa piadosa a los organismos públicos? ¿Qué es eso de servicios comunitarios? ¿No se puede hablar claro de guarderías, comedores populares, empresas de limpieza y lavandería? ¿No se pueden concretar para que se entere todo el mundo?

»Por favor, no te duela lo que te digo, tampoco sé hasta qué punto has participado y combatido sola tanta majadería. Ni siquiera si tuviste noticias anticipadas del escrito. En todo caso los errores hay que verlos para corregirlos, ¿no? Y si yo no sirvo más que para leer y pensar, eso lo pongo incondicionalmente a tu servicio. Conozco bien todas las dificultades que existen en ese maldito mundo en que te desenvuelves, pero aquí no puedo hacer más que explicarte mi punto de vista, y decirte lo muy mierda que me parecen. La intención la conoces y no tengo que abundar en ella. ¿Se puede repetir algo parecido? En fin, me conoces y no te extraña, y sabes que te quiero mucho. Todo mi amor clandestino...»

Con sus amigos y aun sus enemigos de Barcelona, conscientes de la injusticia que se estaba cometiendo contra ellos, nos organizamos al amparo de Amnesty Internacional, que los había acogido en sus reivindicaciones. Se sucedieron un sinfín de reuniones en las que yo enronquecía intentando convencer a los organismos, corporaciones y entidades españolas y extranjeras que están más en la línea de dar la batalla en este sentido.

«Siempre que se las estimule y se las mueva, por supuesto, y tú eres la única, con la ayuda de los míos, que puedes hacerlo. El tema ha de ser nuestra libertad, por no tener nada que ver con el atentado de la calle del Correo, ni con ningún otro acto terrorista. Te envío aparte un esbozo de lo qué puede ser artículo de prensa, informe o lo que quieras sobre nuestra verdadera implicación en el caso y el enfoque que hay que darle a todo eso. Estamos en la mejor situación para que las organizaciones y las corporaciones puedan romper una lanza a nuestro favor. Nunca hemos sido más ajenos a todo este embrollo, nunca nos habían procesado con menos causa.»

«Durante este tiempo he creído que me librarían del Consejo de Guerra pero después de la campaña contra ETA pienso que si no me juzgan en Consejo me pueden tener tres años en preventiva esperando el juicio. No tengo que darte más instrucciones, con lo que te haría el disfavor de considerarte incapaz de preparar por ti misma los intríngulis de la campaña. Créeme que si te pido algo tan importante y que puede desconcertar completamente tus planes de trabajo y de vida es porque hoy lo creo imprescindible y urgente. Hay que enviar telegramas a todo el mundo: al Ejército, a los Colegios de Abogados, a las Asociaciones de la Prensa, etc. Si realmente llegaran telegramas y escritos a estas mesas habríamos avanzado mucho.

Sé lo que supone orquestar a toda esta gente, coordinarla para una acción conjunta y eficaz y cuando termine la batalla te encontrarás al borde de una crisis nerviosa. Pero si no te lo pido a ti, ¿a quién?»

Sus cartas me inquietaban. Esperaba mucho más de mí de lo que yo era capaz de hacer. Le escribía con frecuencia y procuraba tranquilizarla, aunque la verdad es que se trataba de una tarea ardua, complicada, comprometida y valiente. Muchos amigos actuaron conmigo convencidos de la injusticia que se estaba cometiendo. Pero, ¡tantos otros me dieron la espalda! A menudo sentía la sensación de que algunos compañeros cambiaban de ruta en la calle para no tropezarse conmigo.

«Lee esta carta en voz baja para que luego no digas que te grito. Tú con tu experiencia no puedes calificar de traición la postura de la Asociación de Amigos de NNUU. Sabes perfectamente cuál es el origen, los principios y las posibilidades de esta Entidad. Yo, que soy tan dura y tan radical, hubiera hecho un escrito que hubiera aceptado esa asociación de pequeños burgueses progres, oportunistas y revisionistas. O se hace caso omiso del enjuiciamiento de esta organización de bandidos que es la ONU, o se la critica en su verdadera dimensión. Seguir la línea híbrida de contentar a todo el mundo lleva inevitablemente al fracaso.»

Tenía razón, aunque me sentía por completo desconcertada. Su vitalida y su fiereza, desde Yeserías, daba cientos de vueltas a la mía. Mi timidez atávica me revolvía las tripas cada vez que llamaba al timbre de una puerta para pedir ayuda. Cada vez que llamaba a un director de diario o a un compañero de la Radio. Debía doblegarme y centralizar todas las fuerzas en las convocatorias de los Amigos de las NNUU. Paralelamente habíamos organizado una espeice de «célula» para poner en marcha un amplio movimiento de solidaridad. El lugar de reunión era una casa de una compañera y allí cada uno nos hacíamos responsables de una llamada a un personaje importante para que éste, a su vez, difundiera el mensaje: ¡Son inocentes!

Agotadas las gentes de Barcelona, M.ª Rosa Prats y yo emprendimos viaje a Madrid para contactar con los camaradas de la ciudad. Nuestra primera entrevista fue en el Hotel Emperador con Manuela Carmena —hoy Juez de Instituciones Penitenciarias— quien nos atendió muy amablemente y nos prometió pedir ayuda al Partido. Ayuda que, si tuvo la buena fe de solicitar, desde luego nunca le fue concedida.

En cierta ocasión invitamos a nuestra «célula» a Juan M. Bandrés, el abogado de Genoveva Forest. Queríamos noticias, cómo había sucedido todo, cómo podían seguir nuestros amigos en la cárcel. Bandrés, con su sonrisa torcida respondió brevemente: «En realidad, no se sabe nada. ¡Quién sabe!»

«Mi querida Carmen: Hoy ha venido el abogado con la asombrosa idea de que quizá ni nos procesen. No quiero darte con esta noticia la absoluta seguridad de que este encierro se ha terminado, pero tampoco puedo descartarla. ¡Ojalá sea ésta la última carta que te escriba desde esta ratonera! Quiero conservar la sangre fría para no perder la ocasión y el tiempo de ordenar mis papeles. Y sin embargo, no puedo mover ni un brazo. Me parece irreal. No sigo. Te quiero mucho y te necesito mucho también.»

Fue a principios de junio de 1975 cuando recibí el esperado telegrama.[1] «Mañana salimos en libertad.» Reaccioné con indescriptible alegría y corrí a decírselo a los míos y a telefonear a todos los amigos de mi agenda. Aquello significaba el final de una larga y contenida correspondencia.

Nuestro encuentro resultó ser más clandestino de lo esperado. Nos trasladamos con sus hijos y unas amigas a una masía cercana al Maresme. Era de noche y todos íbamos muertos de miedo. El primer gran abrazo también me pareció clandestino. Ella estaba excitada y cansada, parecía estar al borde de una crisis de nervios.

Alrededor de la chimenea, iniciamos una conversación improvisada y algo surrealista. Lidia retomaba la palabra a cada momento, arrebatada. No para hablar de sí misma (todo había pasado, ya nada importaba), sino de las trágicas protagonistas de su Libro Feminista, de ese duro infierno y pesadilla colectiva inolvidable. De todas. De María, que no pudo morir en el hospital de la prisión, ni lleno su vientre de barbitúricos. De la grávida Glória. De Mari Luz, «ciento seis días vestida con lo que llevaba puesto cuando la detuvieron». De las celdas de castigo que ensordecían de silencio. Y de Lupe y Concha y Edurne, torturadas, vilipendiadas, mofadas, degradadas siempre. Difícil el empeño de conservar la dignidad en el inútil

1. M.ª Rosa Prats y yo habíamos conseguido de Luis Salvadores, dirigente del PSUC, el dinero de la fianza.

componer y recomponer horribles flores de plástico, fregando las crueles baldosas de unos pasillos interminables y vuelta a empezar.

Yo, en aquella noche del reencuentro recordaba vivas sus palabras escritas desde la cárcel, sus fuerzas por seguir en el mundo y no desmoronarse totalmente. «Necesitamos mujeres. Es preciso llegar a todos los estratos y niveles sobre una base asequible. Es verdad, es verdad y tú y yo sabemos cuáles son los principios con los cuales no se puede negociar.»

Ignoro cómo supimos salvar una retención de la Guardia Civil en la carretera. Se trataba de un simple control pero en nuestro fuero interno nos vimos directamente en la comisaría. Cuando nos preguntaron de dónde veníamos a aquellas horas de la madrugada, todos a una respondimos que de un sitio diverso. Nos mandaron proseguir y el oficial me preguntó con ironía: «¿Saben por lo menos a dónde van?»

Nos veíamos todos los días y de aquellos cotidianos encuentros surgió la idea de editar una revista: *Reivindicación feminista,* decía ella. No. Tiene que ser *Vindicación Feminista.* Si no existe la palabra en español la inventaremos, pero recuerda que Mary Wolstonecraft, pionera en Inglaterra, lo tenía muy claro. Ha de ser «Vindicación». Pronto cedió.

«Recogeremos a la gente honesta. Las demás no nos interesan, de verdad. Si lo aceptamos todo, en razón del número, saldrá cualquier cosa menos una revista feminista y revolucionaria. Al fin y al cabo, la Sección Femenina también plantea reivindicaciones de actualidad...»

Al poco tiempo me comunicaba que ya tenía el dinero para empezar. Y la imprenta. Yo debía buscar el compaginador —una mujer, desde luego— y organizar la redacción. Fue fácil. Muchas mujeres entonces aclamaron la idea. Muchas de las que, en la actualidad, son las únicas que han logrado instalarse en cargos importantes dentro del famoso 25 por ciento. Pronto llegaron las consabidas multas, deudas, expedientes, procesamientos. El esplendor y la acogida de *Vindicación* duró dos años. Agotados los créditos, las ayudas de muchos amigos, Lidia empezó a desinteresarse de la revista.

Poco a poco, a medida que Lidia me había dado impulso y confianza en mí misma, observaba cómo nuestra poderosa amistad se iba agrietando. Por su parte, dado el fracaso de *Vindicación,* se separaba de mi trabajo y mi esfuerzo. De repente se había producido una sorprendente lejanía, un distanciamiento irrecuperable.

Al regreso de uno de sus viajes convocamos, ella escéptica, yo agitada, a las mujeres de la CNT, de UGT, de CC.OO., y de otros movimientos que, hartos del liderazgo de Lidia, se disponían a plantearle una dura batalla. El desastre estaba anunciado y oí dentro de mí a Lidia, como un trueno:

«Insensata. Eres una insensata. ¿Qué puedes esperar de todas estas mujeres mediatizadas, con órdenes concretas de hundir nuestro proyecto? ¿Es que nunca te darás cuenta de que te han egañado toda tu vida?»

Salieron sólo dos ejemplares más. Luego llegó el embargo del local y la revista murió, un poco conmigo, sin pena ni gloria.

«Entérate: la mujer es una clase. Debemos asumirlo así y crear un Partido Feminista, recuperando a Marx y el materialismo histórico. Ya lo ves: todos los demás, los que se llaman a sí mismos comunistas, socialistas... todos éstos sólo quieren el poder.» Hablaba con despecho y resentimiento seguramente porque, injustamente, a ella también la habían dejado de lado. Se estaba reproduciendo la atávica separación de la mujer en las clases dirigentes. Craso error, Lidia era una líder nata y nunca aceptó que la ignorasen.

Me hundí en el «nadie» porque los viejos camaradas desconfiaban de mí y ella se dio cuenta de que ya no podía arrastrarme a su Partido.

«Pero ¿se puede saber por qué? ¿Acaso no entiendes que la mujer es una clase que debe luchar por sí misma como lo hicieron en la historia los esclavos, los obreros, los negros, todas las clases marginadas?»

Yo atendía pero en mi fuero interno sabía que había tomado, la única vez en toda mi vida, una decisión: No, nunca más en ningún partido, ni movimiento, ni organización. Nunca más.

INCONCLUSIÓN

Ésta es la palabra exacta que puede explicar la sensación que me invade al terminar este trabajo, la conciencia de que, ni de lejos, he logrado realizar una investigación exhaustiva de la aventura vital de las mujeres protagonistas de este libro. Por otro lado, confieso que me ha desbordado la pasión de la búsqueda. Han sido muchas páginas de otros historiadores, mucho hurgar en las hemerotecas para, en la mayoría de los casos, encontrar entre líneas retazos de la vida de las vencidas y, aun, de las vencedoras.

He obviado en fin, voluntariamente, la mención de muchos hombres generosos y buenos que tienen un lugar, por derecho propio, en estas historias de mujeres. Éstos lo comprenderán porque saben ceder el paso a lo que es justo. Estos amigos me comprenderán.

Por último el «nunca más» que cierra las páginas de este libro está situado en el año de la muerte del Caudillo y debe entenderse como una negativa a participar en unas militancias caducas. En este sentido mi «nunca más» sigue con vigencia. De momento y transcurridos veinte años de aquel 1975 que nos prometió una esperanza de libertad, los revolucionarios, los comunistas, los reformistas, los izquierdistas y los más contestatarios de los hombres, tomados en bloque y nunca individualmente, siguen siendo masculinistas, falocráticos y misóginos. Sus discursos fatigosos sobre la prioridad y lo secundario son la constatación de mi convencimiento. Las mujeres nos salvaremos sólo cuando llegue el momento en que los hombres se salven con el cambio total de la sociedad machista que es la base de nuestra opresión. Nunca más hay que exigirle a ninguna mujer su colaboración para construir el mundo si ha de ser a costa de destruirse a sí misma. Jamás se podrá comprender la desgracia femenina si de entrada no se tiene en cuenta su causa: Se trata de un fenómeno comunitario, histórico, general, mundial, que afecta a todas las culturas y que se agrava en las inculturas. Se trata de lo más íntimo de nuestra individualidad y de lo más común de nuestro colectivo. Se trata del mismo aire que respiramos.

BIBLIOGRAFÍA

Abella, Rafael, *La vida cotidiana durante la guerra civil,* (2 tomos). Col. Espejo de España, Editorial Planeta, 1973.
Álvarez Puga, Eduardo, *Diccionario de la Falange,* Dopesa, 1977.
Camus, Albert, *¡España Libre!,* Editores Mexicanos Unidos, S.A., 1966.
Clavero Núñez, Marcelino, *Antes de que te cases,* Arzobispado de Valencia, 1958.
Colección *Ibérica por la libertad,* Directora: Victoria Kent.
Cornelissen, Anne, *Mujeres en la sombra,* Bosch, Casa Editorial, S.A. 1977.
De la Mora, Constancia, *Doble esplendor,* Crítica, Grupo editorial Grijalbo, 1977.
Doctor Carnot, *El Libro de la Joven,* Studium, 1965.
García, Consuelo, *Las cárceles de Soledad Real, una vida,* Alfaguara, 1982.
García, Consuelo, *Las cárceles en la guerra de España,* «La Prensa» (México, 1964).
Falcón, Lidia, *Mujer y Sociedad. La razón feminista,* Editorial Fontanella, 1981.
Fernández, Alberto E. *La España de los maquis,* Ediciones Era, México, 1971.
Figuera Aymerich, Ángela, *Antología,* 1969.

Jardiel Poncela, Eva, *¿Por qué no es usted del Opus Dei?*, Gráfica Valera, 1979.
Kollontai, Alexandra, *Autobiografía de una mujer sexualmente emancipada*, Anagrama, 1975.
Lénine, *Sur l'émancipation de la femme*, Editions sociales, Paris, 1966.
Los Estatutos secretos del Opus Dei (Traducción del latín por Matilde Rovira Soler), Ediciones Tiempo S.A., 1986.
Martín, Raúl, *La contrarrevolución falangista*, Ruedo Ibérico, 1971.
Moncada, Alberto, *Historia Oral del Opus Dei*, Plaza Janés Editores, S.A., 1987.
Montseny, Federica, *Mujeres en la cárcel*, Ediciones Universo (Toulouse, 1949).
El éxodo, pasión y muerte de los españoles en el exilio. Galba Ediciones, 1977.
Mis primeros cuarenta años, Plaza & Janés, 1987.
Moreno, M.ª Angustias, *El Opus Dei, anexo a una historia*. Col. Textos (E. Planeta, 1976).
Nash, Mary, *«Mujeres Libres», España 1936-1939*, Tusquets Editores, 1975.
Nathan, Monique, *Virginia Woolf, par elle-même*, Editions du Seuil, Paris, 1969.
O'Neill, Carlota, *Una mexicana en la guerra de España*, «La Prensa» (México, 1964).
Pardo Bazán, Emilia, *La mujer española y otros artículos feministas*, Editora Nacional, 1976.
Primo de Rivera, José Antonio, *Textos de Doctrina Política*, Delegación Nacional de la Sección Femenina del Movimiento, Editorial Almena, 1971.
Primo de Rivera, Pilar, *Recuerdos de una vida*, Ediciones Dyrsa, 1983.
Ribera, Luis, *Mi Jesús*, Editorial Coculsa, 1938.
Rodrigo, Antonina, *Mujeres de España, las silenciadas*, Plaza & Janés Editores, 1979.
Salaün, Serge (recopilación), *Romancero de la Guerra de España*, Ruedo Ibérico, 1982.
Santa Teresa de Jesús, *Obras completas*, Editorial Plenitud, Madrid, 1964.
Sueiro, Daniel / Díaz Nosty, Bernardo, *Historia del Franquismo*, Ediciones Sedmay, S.A. (Cuatro tomos), 1977.

Sor Juana Inés de la Cruz, *Obras escogidas,* Bruguera, 1968.
Vázquez Montalbán, Manuel, *La Pasionaria y los siete enanitos,* Col. Espejo de España, Editorial Planeta, 1995.
Ximénez de Sandoval, *José Antonio (biografía apasionada),* Editorial Bullón, S.L., 1941.

ÍNDICE ONOMÁSTICO